W9-BVK-782

Biblioteca Era

Eduardo Antonio Parra

◆

Los límites de la noche

Eduardo Antonio Parra

◆

Los límites de la noche

◇

RELATOS

Ediciones Era

Primera edición: 1996
ISBN: 968-411-380-3
DR © 1996, Ediciones Era S.A. de C.V.
Calle del Trabajo 31, 14269 México, D.F.
Impreso y hecho en México
Printed and made in Mexico

Para Graciela España

Índice

◆

El juramento

◆

—¡Ya, hombre! ¿Pa qué tanto escándalo? ¡Van a despertar a la jefa con esos pitidos! —protestó José Antonio mientras quitaba el cerrojo; despeinado, sin zapatos y con el torso desnudo, como si acabara de levantarse—. ¡Cállense!

La troca se retorcía en temblores; el humo negro del mofle trenzaba remolinos de tierra en la calle sin pavimentar. Un grupo de perros vagabundos se acercó a olisquear y uno, menos desconfiado, levantó la pata para marcar una nueva frontera en su territorio. En la cabina, Ricardo y Crispín mantuvieron el silencio unos segundos; volteaban a verse como echando suertes para hablar. José Antonio abrió la puerta del enrejado y caminó hacia ellos. Más que molesto parecía cansado; olió la humedad de la noche, reconoció el crujir de cristales del río Bravo, y dijo en tono seco:

—¿Qué traen?

—Es que te está esperando Elías —Crispín sonreía con burla—: aquí anda el Güero...

—¿El Güero Jiménez?

—Ey, parece que regresó, ése. Está en el cantón de la Dora.

—Y Elías quiere que vayas... para irlo a recibir —apuró Ricardo en actitud de reto.

—Espérenme —dijo José Antonio un tanto turbado—, voy a ponerme una camisa.

Lo vieron andar hacia la casa, hacer a un lado la puerta de mosquiteros rotos, desaparecer en la penumbra interior. Segundos después, la luz de uno de los cuartos se derramó hacia el patio. Crispín tamborileaba el volante con los dedos, impaciente, distraído en las sombras amorfas de casas y terrenos abandonados. No era muy tarde, sin embargo la calle, negra y muda, delataba en los vecinos un sueño tranquilo y profundo. El Güero no representaba problema para él. No como para Ricardo, Elías o José Antonio. Lo veía como algo rutinario, sencillo de decidir: se le chinga o no se le chinga. Sin coraje, sin pasión, simplemente por ser orden de Elías, nada más. Ricardo, en cambio, mientras hundía la mirada allá donde el caracolear del río era más ronco, no lograba desprenderse el rostro pecoso del Güero Jiménez. Lo conocía bien: crecieron juntos en el barrio. A diferencia de Crispín, que por ser nuevo en esos lugares estaba al margen de la memoria, Ricardo había aprendido a odiar al Güero durante sus cinco años de ausencia. Ahora había vuelto, y lo único necesario de aclarar era si José Antonio seguía con ellos o no.

—Vámonos —ordenó José Antonio sentándose junto a Ricardo.

—Va a llover —dijo Crispín, mientras miraba el cielo por la ventanilla.

Sí, va a llover, se repitió José Antonio cuando un concierto de ladridos corría tras ellos. Respiró hondo y a su nariz acudieron el polvo, el aire enyerbado y el olor a lluvia. Al pasar por la primera esquina alcanzó a ver sobre el río el espejeo de luces del otro lado, y no pudo eludir el recuerdo: su padre llevándolos a él y al Güero a pescar en la isleta de enmedio. Tuvo necesidad de fumar y buscó los cigarros en la bolsa de la camisa.

—¿Cuándo volvió?

—Hoy en la mañana —contestó Ricardo—. Se había tardado el cabrón.

—¿Cómo supieron?

—Me avisaron a mí —dijo Crispín—. Mi ruca. Me dijo que había llegado anca la Dora. Al principio no supe ni de quién me hablaba. Ya ves que no lo conozco. Pero luego me acordé y le dije a éste.

–¿Y qué quiere Elías?

–¿Tú qué crees? –Ricardo lo veía fijamente a los ojos.

Al sentir un soplo de brisa, José Antonio giró la cabeza hacia la corriente que asomaba entre las casas. Elías no estaba lejos, pero el tiempo se alargaba desesperante. Por trechos, los extensos baldíos de la colonia Victoria permitían dilatar la vista hasta la ribera contraria, donde por el freeway algunos tráilers se alejaban y otros llegaban al centro de Laredo. Hubiera querido estar en uno de ellos, en el gabacho, libre, lejos de Elías y Ricardo, como el Güero en todos estos años, sin problemas de pleitos ni venganzas.

En cosa de segundos el aire se cargó de una humedad cada vez más densa, hasta que las primeras gotas golpearon el parabrisas. José Antonio buscó entonces con mayor insistencia el fluir del Bravo. Era mágico: al contacto con la lluvia el fondo liberaba su fuerza oculta, los remolinos afloraban en la superficie, rugían las ráfagas entre las piedras. *Son los muertos*, le había dicho su padre durante una tormenta en la isleta, *las ánimas de los difuntos ahogados en estas aguas traidoras. Por eso el río maldito pudre todo lo que esté cerca. No hay otro río en el mundo donde se ahoguen más cristianos que en éste; por eso de cuando en cuando salen a gritar su rabia a los vivos.* José Antonio recordó la cantidad de cuerpos que había visto sacar desde niño, y pensó que acaso su padre no mentía.

–Les dije que iba a llover.

–Mira –interrumpió Ricardo–, aistá el Elías.

El semblante pálido, más blanco que de costumbre, le daba un aspecto enfermo que se acentuaba con la lluvia escurriéndole de los cabellos. No saludó, sólo indicó con un ademán las cuatro sillas del estrecho recibidor mientras caminaba delante de ellos como siempre lo hacía. Cuando todos se sentaron, José Antonio sintió en el rostro el taladro de las tres miradas, pero no quiso ser el primero en hablar. Extrajo la cajetilla, y después de comprobar que continuaba seca, encendió un cigarro lentamente, sin prisa, fingiendo tranquilidad, esperando las palabras de Elías.

–No puedo entender cómo se le ocurrió regresar... –inició Elías dirigiéndose a José Antonio. Luego, como no obtuvo respuesta continuó–: si ya sabía que lo íbamos a estar esperando siempre, ¿o no?

–Quizá por eso –José Antonio hablaba como para sí, sin mirar a nadie–: para acabar de una vez con esta pendejada.

–¿Te parece pendejada? –Elías se corrigió–: ¿Les parece pendejada?

–No –confirmó Ricardo–. El Güero fue el que no cumplió.

El chaparrón arreció y, casi enseguida, la explosión de un trueno quedó colgando en el aire varios segundos. Fue del otro lado, se dijo José Antonio, a lo mejor les desmadró el frigüey. El metralleo de la lluvia lo aturdía, y de pronto tuvo la impresión de que todo aquello carecía de sentido: el cielo desbordándose sin ser tiempo de aguas, el río que lanzaba gemidos a la noche, ese olor a yerba persistente aun bajo los embates del aire y la lluvia, ellos cuatro sentados para decidir la suerte de un viejo amigo. Pero si teníamos doce años, quiso decir. Se contuvo porque nuevamente sintió la presión de las miradas: la de Crispín, curiosa; la de Elías, inquisitiva; la de Ricardo, desafiante, cargada de tensión. Con una punzada nostálgica, recordó al grupo de varios años atrás y lo vio idéntico: reunidos en la casa del Güero, aún sin la aparición de Crispín, eternamente discutían acerca de venganzas contra los rivales del barrio. Una pandilla de mocosos entonces. ¿Y ahora?, se preguntó mientras miraba a Elías encender un cigarro, preparándose a hilvanar argumentos para convencerlo.

–Nos traicionó a todos, José Antonio. También a ti...

¿Traición? El tono pausado era el de un padre que reprende a su hijo con la cuarta en la mano, listo para descargar el

14

primer golpe. José Antonio, en una huida mental que buscaba esquivar las palabras de Elías, fue resbalando hacia un recuerdo lejano: se dirige con el Güero a la isleta. Van armados con sedal, anzuelos, sobras de comida y dos largas varas de fresno, cuando encuentran un puñado de patrullas y ambulancias a la orilla del río. Camilleros y policías cruzan una y otra vez la distancia entre la ribera y la isleta, los periodistas bombardean a flashazos la escena, en tanto que decenas de mirones luchan por acercarse a ver. El pequeño montículo enmedio del Bravo luce diferente: pelón, sin un solo matorral, lleno de agujeros como si hubiera sufrido un bombardeo.

–...tú te has separado de nosotros poco a poco. No sé por qué. Quizá te parecemos muy bules. Ricardo dice que te estás haciendo maricón, José Antonio...

Ese día desentierran casi treinta cadáveres; algunos de años, otros relativamente recientes. El tiempo los ha ido cubriendo de tierra; la vegetación terminó de esconderlos. Nadie sabe con certeza cómo murieron. Del otro lado, junto a tres patrullas de la border aparcadas en la orilla, los oficiales gringos observan tranquilamente el trajín de los mexicanos. Algunos sonríen. José Antonio y el Güero se acercan hasta donde un judicial les corta el paso. Sólo en ese momento José Antonio ve en los ojos del Güero un par de lágrimas que su amigo ha olvidado ocultar.

–...tú dices que es porque trabajas y no tienes tiempo. Es tu bronca y no me meto. Pero en esto sí estás entrado aunque no quieras...

Por la noche siguen desenterrando cadáveres. Nunca podrá olvidar el hedor, ni la visión grotesca de aquellos cuerpos descompuestos que se descoyuntan al menor intento de moverlos. Ni la sonrisa de los de la migra. En cierto momento, el Güero le pregunta al judicial quién ha podido matar a tantos hombres. El agente, mirando con rencor hacia el otro lado, contesta: "No dudes que fueron esos cabrones".

–...como Ricardo, como yo, como Crispín ahora. Siempre hemos estado juntos, ¿no?; por eso es bronca de todos...

A los pocos días, cuando agentes y periodistas abandonan al fin la isleta, los cuatro deciden ir a recorrerla. Ahora no llevan cañas, ni sedal, ni anzuelos: van a buscar despojos entre la tierra, como quien explora un cementerio abandonado. No encuentran nada. Después de varias horas, lo único que les llama la atención es el paso constante de las broncos con escudo de la migra. En dos o tres ocasiones los cuatro les mientan la madre a señas y silbidos a los gringos. Finalmente, casi al caer la noche, con toda solemnidad, El Güero propone un juramento.

–...y lo que yo quiero saber es de qué lado estás...

Repitan conmigo –el Güero, serio como un adulto, extiende la mano al frente. De inmediato Elías pone la suya encima, luego Ricardo; José Antonio sonríe y hace lo mismo–: *en vista de que el mayor enemigo que los mexicanos conocemos* –las voces de los tres siguen a la del Güero palabra por palabra–, *es el gabacho... prometo chingar a cada uno de ellos, siempre que tenga chance, con lo que pueda, de día y de noche, en venganza de que ellos abusan de nuestros paisanos, o los matan cuando intentan cruzar el río.* Después del juramento saca la hoja de su navaja –de cacha de venado, último regalo de su padre– y se corta la palma de la mano. Los otros toman el arma y hacen lo mismo. Sólo Elías pregunta para qué tanto argüende. El Güero desvía la mirada, y su voz infantil enronquece al contestar: *También mataron a mi viejo.*

–¿Con quién estás, José Antonio? –Elías repitió la pregunta poniéndose en pie.

–Teníamos doce años... –contesta, aún perdido en los recuerdos.

–Nos hizo jurar él. Fue con sangre...

Por alguna razón Elías evitaba mencionar directamente al Güero Jiménez: la lucha interna entre amistad y despecho había sobrevivido los cinco años, abierta, quemante. Sólo entonces reparó José Antonio en cuánto había cambiado Elías con el tiempo. De niño fue el más tímido, siempre detrás del Güero, imitándolo, secundándolo en todo. Pero al partir éste, ocupó su lugar como líder del grupo, y nadie quiso contradecirlo.

—Dime la verdad —José Antonio miró a Elías de frente por primera vez—: ¿por qué lo quieres joder?

—Por todo... por traidor.

La respuesta cayó en seco, firme, reforzada por el asentimiento mudo de Ricardo. Los ojos sin brillo de Elías anunciaban además que esta vez no sería sólo una golpiza, un baño montonero, sino que irían más lejos. Demasiado lejos, pensó José Antonio, cuando un trueno le advirtió que el chubasco iba cobrando tamaños de tormenta. Millones de gotas removían la tierra de la calle, convirtiéndola en una brecha fangosa. Los gemidos del Bravo se estiraban desesperados bajo la lluvia, y en la memoria de José Antonio volvieron a resonar palabras de su padre: *Al Güero grande no lo mataron los de la migra, mijo. No. Lo pescó un remolino. Murió en este maldito río que tantas debe. Y a lo mejor arrastró su cuerpo hasta el mar.*

—Seguro ya se siente de allá el cabrón —continuaba rumiando Elías—. Quiso ser gabacho, y eso hasta es traición a la patria.

Ricardo fijaba los ojos en José Antonio, Crispín sonreía, Elías paseaba en derredor de los tres mirando la lluvia. "Quiso ser gabacho", las palabras de condena seguían en el aire denso. Entonces José Antonio supo que si ése era el crimen, él también lo había cometido al desear largarse al norte, y su padre, y los tíos de Ricardo, y el hermano de Elías, y todos los que se habían ido de mojados y continuaban viviendo allá. Si de eso se trataba, no existía ningún crimen. Estamos yendo demasiado lejos, se repitió, y en ese momento supo lo que tenía que hacer.

–¿Cómo le hacemos? –dijo levantándose de la silla.

La mirada de Elías brilló al escuchar la pregunta. Crispín amplió su sonrisa y se palmeó la pierna en un aplauso seco. Sólo Ricardo mantuvo una actitud seria, casi fúnebre, al responder:

–Hay una fiesta de bienvenida anca la Dora, si es que el agua no la echó a perder. De todas maneras ya se ha de estar acabando. Si acaso quedan algunos batos con sus morras. No hay más que llegar.

–Pero sin la troca y por el río –intervino Elías–: pa que no nos sientan.

–¿Entonces? –Crispín fue el único en protestar–: ¿nos vamos a ir mojando?

–No hay borlo, al cabo allá nos calentamos.

Por la ribera, un poco más allá de la isleta, se llegaba a un terreno baldío frente a la casa de Dora. Eran sólo tres cuadras. No corrieron, a pesar de los golpes violentos de la lluvia. Avanzaban con dificultad entre el pasto y los matorrales que crecían a la orilla del Bravo, hundiendo los pies en charcos pantanosos. A mitad del camino, lo que creyeron un relámpago los iluminó de repente: era un fanal que aluzaba desde el otro lado.

–La migra –dijo José Antonio.

–Que se vayan al carajo –Ricardo levantó el puño.

El tubo de luz los siguió varios metros, luego se apagó. Al lado de la corriente, José Antonio perseguía el rugir del agua, aguzando el oído para escuchar los ayes de los ahogados y, entre ellos, la voz de su padre. *Me voy pal norte, mijo. Si me quedo nos vamos a morir de hambre. No hay trabajo. Además yo soy hombre de campo, no de ciudá. No chilles, nomás que me acomode mando por ti y por tu madre. Seguro que no pasa ni un año.* Nunca lo volvió a ver. La noticia de su muerte, ahogado al querer cruzar el río, circuló durante meses entre la gente del barrio. También se habló de balazos esa noche. Al prin-

18

cipio José Antonio no lo creyó. Quería ir a buscarlo, pero siempre se topaba con la resistencia de su madre. Con los años, largarse al gabacho se convirtió en su obsesión. Ya casi tenía el dinero completo. Sólo había estado esperando el regreso del Güero para cruzar juntos.

–Pinche lluviecita –se quejó Crispín–, como que mestá cansando...

–Ya llegamos.

La casa de Dora era la única con luz. Afuera, protegidos por un techo de lámina que repiqueteaba incansable bajo la lluvia, se distinguían algunas parejas entre las sombras de la calle. El ruido ahogaba la música. Se internaron en el baldío y José Antonio se dejó caer sobre un montón de grava bajo un tejabán. Se sentía pesado, aturdido por el agua y el torrente de recuerdos. Deseaba terminar cuanto antes. Buscó la cajetilla de cigarros: todos húmedos. Sacó uno y, con el encendedor, lo calentó hasta dejarlo medianamente fumable.

–Apaga eso –ordenó Elías y se lo tumbó de un manotazo.

–¿Lo vamos a esperar hasta que salga? –preguntó Ricardo.

–Pos luego... –Crispín se había sentado también y se sacudía el pelo y la ropa.

–¿Y si no sale? –dijo Elías–: lo mejor es que uno de nosotros vaya y lo saque. Ahí le caemos.

–A mí no me conoce –dijo Crispín.

–Yo voy –José Antonio se levantó–. Pa acabar pronto...

–¿Y qué vas a decir? –los ojos de Ricardo se entrecerraron.

–Nada. Todos van a pensar que vengo a saludarlo.

Volvió a sentir la lluvia sobre la cara, en la espalda, en los hombros. Una lluvia ardiente ahora. Cada gota que se adhería a su cuerpo era una nueva afirmación de lo decidido: le tengo que avisar; primero lo saco de ahí, corremos hasta la casa, y después me voy con él al gabacho, a la dolariza, a vivir bien. Al llegar bajo el techo de lámina la cortina de agua se abrió en un tamborileo chillante. Una muchacha que abrazaba a su pareja, conocido de José Antonio, se sobresaltó al verlo aparecer.

—¿Qué barrio, ése? —preguntó rápidamente el hombre.

—¿Aistá el Güero?

—Simón, con la Dora, ése. Pásale.

—No, ando todo mojado. Mejor dile que lo busca José Antonio. Somos camaradas.

—Sobres. Pérame.

La espera lo hizo temblar. El aire frío inflaba su ropa totalmente empapada, y José Antonio sintió el cuerpo rígido, como de madera seca. Un relámpago chasqueó en el cielo como un latigazo cercano. Del Bravo se levantó un bramido grave que resonó algunos segundos. Los muertos, se dijo enmedio de un estremecimiento, y volteó hacia el baldío, pero no vio a nadie.

—¡Toño! —mucho más grande, más fuerte, y con un tupido bigote rubio que no tenía cuando se fue, el Güero no ocultaba la alegría de volver a verlo. Corrió hacia él y se abrazaron—. ¡Qué gusto, camarada!

—Güero —José Antonio titubeaba.

—¿Y los demás? —lo interrumpió—. ¿Y Ricardo y Elías?

—Güero, tenemos que...

No pudo terminar. De la oscuridad de la calle, de la lluvia furiosa, emergieron Crispín y Ricardo y se echaron sobre el Güero. José Antonio estrechó el abrazo buscando proteger a su amigo cuando apareció Elías armado con una rama. Todo se volvió confuso. Garrotazos y patadas caían sobre él y el Güero que, sin soltarse aún, se defendían tirando puñetazos hacia todas partes. De pronto José Antonio quedó atrapado de la cabeza por una tenaza que lo hizo caer al suelo, y comprendió que el Güero lo golpeaba sin soltarlo mientras recibía puntapiés de los demás. Entre maldiciones y gemidos oyó claramente el chasquear metálico de los fileros abandonando la cacha. Reconoció el sonido característico de la charrasca de Elías. Los golpes se multiplicaron en cuestión de segundos hasta que el Güero lo soltó entre el lodo. Entonces sintió al mismo tiempo un jalón en el pelo y el brazo. Lo estaban levantando.

—¡Pélate! —era la voz de Crispín.

—¡Ya vienen los de la casa! —Ricardo se escuchaba lejano, seguramente ya corría.

Aún no lo alcanzaba el dolor de los golpes, sólo una sensación de calor por todo el cuerpo. Había sido tan rápido que los de la fiesta no tuvieron tiempo de reaccionar. Cuando empezó a correr, urgido por Elías, vio entre la lluvia al Güero bocabajo, hundido en un charco lodoso. Sentía las piernas débiles, pero a tumbos atravesó el baldío. Nadie los siguió. Elías lo llamaba a gritos desde unos metros adelante, pero al salir a la ribera José Antonio tropezó con un matorral. Se vino abajo luego de varios traspiés y la caída le produjo un vacío agudo en el vientre. Había llegado al río. Un chorro de luz lo iluminaba desde el otro lado. Pinche migra, dijo y tras un acceso de tos hundió la cabeza en el agua. Los ruidos acuáticos de la superficie se confundían con un coro de voces conocidas que lo animaban a deslizarse hasta el centro de la corriente. Recordó a su padre, al padre del Güero, a los cadáveres de la isleta. El dolor seguía junto a la cintura y condujo su mano ahí. Primero pensó que se trataba de alguna rama encajada al caer, pero mientras se hundía lentamente, un rastro de líquido tibio y pegajoso que se mezclaba con el agua del Bravo lo llevó a reconocer, enterrada hasta el puño, la navaja con cacha de venado que el Güero siempre traía consigo, la navaja del juramento de sangre.

El placer de morir

◆

Sentado sobre la cama, después de varios intentos por convocar al sueño, Roberto se humedece las encías con un sorbo de vino. Al prender un cigarro, el encendedor se le escapa de los dedos y cae en la alfombra con un chasquido que encuentra eco en el silencio de la habitación. La mujer a su lado suspira. Enseguida gime, pero no llega a despertar del todo y se enconcha entre las sábanas. De costado, sus formas se dibujan en una amalgama de sombras sobre un fondo vacío.

Roberto la contempla mientras fuma, sintiendo cómo la combustión acre del tabaco le llena la garganta y aumenta el sabor ácido del vino en la boca. El cuarto cerrado huele a sexo, a humo, a alcohol. La brasa suspendida a unos centímetros de su rostro parece sucumbir ante la oscuridad; sin embargo, sus ojos delinean sin dificultad contornos de muebles y cortinas, el cuadro de la ventana, un hueco en la pared que conduce al baño. La sensación de pesadez le aplasta cabeza y pecho, pero puede convivir con ella como siempre. Sirve más vino y se recuesta.

Su pensamiento resbala por un tobogán hacia el pasado: veinte años... la muerte de sus padres traducida en libertad para vivir lo que eligió desde niño... la herencia... No mucho, piensa, pero suficiente para realizar mi vocación; para tener lo indispensable y dedicarse a fabricar deseos y satisfacerlos, al menos por algunos años. Sobre todo si no se es ambicioso en extremo, si no se aspira a lo habitual: poder, fama, riqueza incalculable. Roberto persigue una sola cosa: el placer: exprimir el máximo goce que la vida pueda ofrecer a un hombre.

Descubrió su vocación a los doce, antes de la muerte de sus padres; como la mayoría de sus amigos del colegio, gracias a la sirvienta: mujer con una veintena de años, aficionada a fumarse los cigarros y beberse el coñac del patrón en su cuarto, cuando todos dormían. Una noche, en ausencia de los mayores, Roberto buscaba un refresco en la cocina cuando tuvo un impulso, una iluminación diría después, y abrió la puerta del cuarto de servicio. Ahí estaba ella, entre una nube de humo, saboreando una copa; con el rostro, normalmente adusto, trocado en un gesto de satisfacción. "Cabrona, le voy a decir a mamá para que te corra." "No, Robertito", su voz era distinta a la de siempre, "no le digas. Si me guardas el secreto te convido."

En pocas noches pasó del ahogo al goce tímido y naciente del tabaco y el alcohol. Sus padres nunca se enteraron y Roberto aguardaba a que todas las luces de la casa se apagaran para caminar a tientas hasta el cuarto de la criada. La intuición de algo más allá, aún desconocido pero esperando el momento de revelársele en esa habitación estrecha, lo hizo dominar pronto el miedo al castigo y desplazarse por los recovecos de la casa como si fuera de día.

Una noche la intuición se transformó en certeza. A la segunda copa se volvió rápidamente hacia la criada y le metió una mano bajo el camisón. "Muchacho cabrón", susurró ella, "¿pos qué traes?" La verdad es que él mismo no lo sabía del todo, sólo lo imaginaba, aunque su miembro endurecido le anunciaba que en lo imaginado no había error. La sirvienta suspiró resignada, "¿Sabes hacerlo?" Lo miró sonriendo entre enfadada y enternecida, se puso de pie junto a la cama y comenzó a sacarse el camisón por la cabeza. "En fin, ya estaría... Anda, quítate la piyama."

Tuvo que desvestirlo ella: Roberto se había convertido en un cuerpo inanimado al ver aquella piel desnuda, los pezones oscuros incrustados en la punta de los senos como dos corcholatas gemelas, el estropajo negro que se transparentaba a través del calzón. En ese momento hubiera renunciado a poseerla con tal de continuar contemplándola indefinidamente. Pero ella, dispuesta a acabar pronto, lo desnudó con brusquedad y, sin prestar atención al pequeño miembro que perdía rigidez ante la inminencia de su estreno, apagó la luz.

El recuerdo ilumina aquella escena a oscuras, y Roberto se observa a sí mismo tendido boca arriba, adivinando la silueta morena, sintiendo el calor de unos dedos bombeándole la carne tierna hasta erguirla por completo, escuchando el elástico de unos calzones al tensarse y correrse piernas abajo y, por último, perdiendo todos los sentidos al mismo tiempo que la virginidad, cuando lo único que existió de él fue el miembro atrapado en la humedad caliente de una vulva.

Hace tiempo de eso, y Roberto siente que necesita otro cigarro y otra copa para aplacar la erección que le ha provocado la imagen. Veinticinco años de carrera, piensa. Alguien tendría que escribir su historia. Una vida única, comparable a la de cualquier genio o héroe. Como la de los artistas que buscan siempre una obra mejor. Sin embargo nada tan excitante como la primera vez, como las primeras veces. Recordar el descubrimiento es mejor que cualquier repetición.

La erección es casi dolorosa y Roberto se vuelve hacia la mujer. Está ahí, al alcance de la mano, pero de alguna manera ensombrecida por la figura de la criada que se fija en la memoria. Acaricia las nalgas despacio, sintiendo su frialdad, su textura un tanto rugosa, recorriendo con el canto de la mano la zanja que las separa. La mujer suelta un ronroneo, pero Roberto advierte que su propia excitación ha disminuido. Retira la mano y da otro trago al vino.

Aun en la oscuridad, los ojos abiertos lloran por el humo

24

del cigarro. Roberto ignora el escozor y enciende otro. Su garganta protesta y en el pecho se inserta un clavo doloroso, pero a la segunda bocanada el cuerpo vuelve a la normalidad. La cabeza sobre la almohada, las piernas extendidas, Roberto repasa el modo que utilizaría para dictar sus memorias a algún escritor desocupado y sin imaginación. Sería un best-seller, sin duda. Sonríe: *Un buscador de placer*, es el título preciso. Evita todo contacto de su piel con la piel de la mujer a su lado y busca la posición más cómoda para ordenar los recuerdos.

Hubo pocas oportunidades de regresar al cuarto de la criada: las siguientes semanas un remordimiento transmitido por padres y maestros del Opus Dei lo mantuvo en su habitación por las noches; más tarde se atrevería a regresar un par de veces, encontrándose con el fastidio dibujado en el rostro de la muchacha que veía en ese adiestramiento sexual del niño de la casa sólo una obligación doméstica más. Meses después, cuando Roberto reunía el valor para reanudar las visitas, su madre notó la falta de cigarros y coñac, y la muchacha regresó en el acto a su pueblo.

No la encontraría de nuevo sino hasta quince años más tarde, en un burdel frecuentado por sus amigos, ebria y avejentada, con una tos persistente que la rodeaba de un aura de tuberculosis poética y la convertía en la prostituta más solitaria del lugar. Se acostó con ella una noche buscando el encanto perdido de su primera vez, pero se volvió a topar con la misma indiferencia de quien realiza una labor mecánica, distante, acentuada por un cuerpo exento de firmeza y juventud. Nunca regresó, y al poco tiempo borró ese encuentro para salvar en su memoria el recuerdo de la primera ocasión.

La siguiente sirvienta había sido una anciana gorda y respetable, y Roberto se encontró de pronto en el laberinto de la adolescencia con los accesos bloqueados. Su pequeño mundo de entonces –limitado a un colegio exclusivo para varones, la casa familiar, y escasas salidas administradas severamente por su madre, temerosa de los peligros callejeros– le impedía todo contacto con el sexo opuesto. Los amigos que presumían a los cuatro vientos de acostarse libremente con las criadas, lejos de compartir el privilegio, actuaban como celosos perros guardianes de su derecho de pernada. Roberto se consolaba con la costumbre que había heredado de su antigua sirvienta: fumaba en el baño y se tomaba a escondidas el coñac de su padre.

Pronto aprendió que el alcohol era un sustituto ideal de la libertad de las calles, y lo bebía con llaneza pero adoptando estilo, sintiéndose hombre de mundo, acumulando experiencia a cada trago. Sin embargo le hacía falta el sexo, y en ese tiempo se dedicó a crear las fantasías más elaboradas, prometiéndose ponerlas en práctica en la primera oportunidad, mientras se masturbaba con el ahínco y la dedicación de quien trabaja en forjar su destino.

Se levanta y va al baño sin encender luz. En su cerebro se abre una pausa, silencio a la espera de otros recuerdos. El alivio agudo de la orina. En el regreso a la habitación, el ruido de un auto lo distrae; después escucha con claridad el escándalo de una risa femenina, la voz de un hombre, una puerta que se cierra cercana. Activa la lámpara del buró y la mujer en la cama murmura una interrogación proveniente de su sueño. Le acaricia un brazo, "no es nada, vuelve a dormirte"; y sirve las últimas gotas de vino en su copa.

El resplandor mustio, aún más debilitado por la mampara, es inútil para iluminar el cuarto: sólo lo decora de siluetas trémulas que se estampan en paredes y piso. Roberto las observa copa en mano, mientras de nuevo siente la erosión calando en su garganta. Extiende el brazo en un brindis silencioso y contempla a contraluz el último resto que se adhiere amoratado al fondo del cristal; lo mece, y el escaso líquido resbala por las concavidades transparentes; finalmente lo bebe de un sorbo. Luego toma un cigarro, pero en vez de llevarlo a la boca lo deja en la ranura del cenicero: la resequedad en la garganta sigue ahí, persistente como el torrente de imágenes galopando en la memoria.

Tres días después de la muerte de sus padres escapó a conocer los secretos de la noche. Quiso ir sin ningún amigo que lo acompañara. Necesitaba adentrarse sin guía en las profundidades de la libertad. Había recibido la noticia del accidente sereno, impasible, con un control que sacó de sus casillas a los deudos que esperaban verlo revolcarse en la desesperación. Durante los rituales mortuorios plagados de llanto, oraciones y letanías, se hizo odiar por la mayoría de los parientes pues prefirió ocuparse del estado de sus finanzas en vez de encaminar a los difuntos a las puertas del paraíso. Tampoco tuvo tiempo de llorar en el sepelio: hacía el recuento mental de su fortuna y planeaba cómo empezar a gastarla inmediatamente.

Esa noche se subió al gálaxie de su padre y sintió esa sensación de poder que dan los autos caros, lujosos, grandes; el dinero hinchando los bolsillos; la ciudad sin límites ni condiciones. Por sus amigos conocía la ubicación de una de las mejores casas de citas y manejó directo. Tuvo algo de miedo al entrar, pero desapareció cuando palpó el dinero en el pantalón. Pidió cigarros y el licor más caro. La botella atrajo a varias mujeres y pronto se vio rodeado, acariciado, adulado por cada una de ellas como nunca le había ocurrido en el cuarto de servicio de su casa. La noche se fue en instantes y el amanecer lo sorprendió en un cuarto extraño, envuelto en un abrazo triangular con dos mujeres, ebrio y vacío pero feliz, completamente feliz de haber redescubierto la fuente del verdadero placer en su primera noche de huérfano libertino.

"¿Te parece normal desperdiciar tu vida y tu dinero con

las putas?", le había preguntado un tío cuando, al cabo de un año, Roberto fue a exigir la liquidación de su parte en los negocios familiares. Mas para esas alturas él ya estaba al tanto de muchos secretos en torno a los parientes, "Tú mantienes una amante en un departamento del centro. Cuando la conociste no era más que una puta. Y todavía lo es..." El tío enmudeció. Luego, delante de él, hizo las llamadas necesarias para iniciar los trámites, indicándole que todo lo que quedara por tratar se hiciera a través de su representante: "Como esto era el único lazo que te unía con la familia, desde hoy considérate..." "Si todos son como tú, mejor", lo interrumpió Roberto mientras se retiraba: "punta de apretados hipócritas".

La sed aún más pegajosa lo regresa nuevamente al cuarto, y recuerda que en el otro buró la mujer dejó una copa casi llena. No lo piensa dos veces y rodea la cama. La luz de su lámpara apenas llega hasta ahí, pero en la penumbra la superficie del mueble se ve repleta de objetos. Se sorprende de haberlos olvidado en tanto los reconoce uno a uno: la cajetilla de cigarros sabor maple, un carrujo a medio fumar, el pedazo de queso sobre una tabla, el cuchillo para rebanarlo, y el espejo de mano donde alinearon la cocaína en los respiros entre beso y beso, entre caricia y caricia, en ese violento amor que hicieron con prisa desde que Roberto cerrara la puerta y rociara a la mujer de vino para después lamerlo ansiosamente, mientras con la yema húmeda de uno de sus dedos le frotaba coca en el clítoris y ella no paraba de retorcerse en la agonía de la lujuria.

Ahora los recuerdos lejanos palidecen ante la frescura de ese momento inmediato, y Roberto se sumerge en la contemplación de la mujer desnuda, bañada por una luz tan tenue que parece brotarle de la piel como un aura de concupiscencia. De pie junto a ella, siente su propio cuerpo invadido por la magia del deseo que se concentra en agudos dardos bajo la cintura. Aún hay tiempo para despertarla antes de la mañana, piensa, y apura el vino con avidez. Toma el espejo demorándose en buscar un tubo de plata traído por ella y regresa a su sitio en la cama.

Sobre el cristal del espejo se esparce el polvo blanco. Lo reúne con un dedo sin saber si será cantidad suficiente para estimular la memoria ahora que en la oscura galería de los recuerdos las imágenes se desdibujan como chispas agónicas. Cuando junta tres gruesas líneas coloca el popote de metal en la nariz y antes de jalar, ve cómo el espejo le devuelve un par de ojos negros, heridos en el globo por finas venas bermejas, circundados por moretones permanentes, con una infinita red de telarañas en la piel que les sirve de marco. Los aprieta sin pensar en nada, y aspira con violencia.

Esto es magia, se dice y sonríe mientras enciende el cigarro, contento por haber recuperado instantáneamente el placer de los recuerdos. El golpe de coca hizo sonar una campana dentro del cerebro: las vivencias se forman por estatura, toman distancia, empiezan a marchar a paso rápido hacia el momento presente. Ahora nada los detendrá y Roberto inicia la revista divertido, como si asistiera a la proyección de un filme que él hubiera escrito y dirigido, eligiendo las etapas más memorables de su vida.

Y se ve a sí mismo actuar de galán con su primera conquista verdadera: una muchacha adolescente a la que conoció en una peña cuando las putas dejaron de tener el atractivo de la novedad. Ha olvidado su nombre, pero no su rostro y el sabor de su piel de virgen. En esa época todavía conservaba el departamento en la loma, y la muchacha venció el temor a visitarlo la noche que Roberto ensayó las mentiras de amor eterno y hombre formal que serían su principal arma en los siguientes años. Nunca olvidará la encantadora timidez, el rubor incógnito en el rostro, la piel de gallina a pesar de la temperatura, los intensos temblores

29

que sacudían a la muchacha en el instante de mostrarse expuesta, desnuda sobre las sábanas blancas, brazos y piernas separadas, ante un miembro que él nunca había sentido tan duro en sus cinco años de vivir entre las putas.

Conserva esa noche entera, clara, como una de las decisivas en su vida de cazador de placeres. En escasas horas realizó dos descubrimientos: la satisfacción masculina de rasgar un himen, y el goce sin límites de provocar dolor en el sexo opuesto. Por espacio de dos años esa muchacha fue el instrumento ideal. Vencida por el amor, no se atrevió a poner reparos a los deseos de Roberto, que experimentaba con ella todas las fantasías que brotaban de su mentalidad de sádico en ciernes. La sodomizó, la flageló. La obligó a representarle las más descabelladas comedias, la llevó a todos los límites imaginables para una muchacha como ella y, al final, después de extraerle hasta el último rastro de placer, la olvidó.

Acaricia con suavidad el falo que de nuevo despierta a la voz de los recuerdos. Casi está a punto, piensa al sentir el cosquilleo de la sangre inflando sus cavidades. Inconscientemente ha seguido un procedimiento de rutina: sólo el repaso mental de sus experiencias sexuales lo prepara por completo para una segunda fornicación. Esto no ocurría antes, pero Roberto ha experimentado en carne propia que el paso del tiempo pudre y acaba con todo. En él agotó el dinero, la energía y la resistencia, el asombro de la juventud, hasta la facilidad para recordar los tramos de relleno en su biografía, entre un goce y otro. De cualquier modo ha vivido sólo para esto y se halla satisfecho, aunque ahora sienta que la existencia se prolonga a través de un túnel insidioso, como la intermitente exposición de imágenes en la memoria.

Un aspa de luz gira por un segundo en el área de la ventana. El motor de un auto viejo tose y se apaga. Puertas se abren y cierran. Roberto imagina a la pareja que llega ansio-

sa a disfrutar de sus cuerpos al amparo del motel, y se identifica con ellos. Aprovechen, les dice mentalmente, porque
el placer no es inagotable. Se levanta por el carrujo y regresa. Mientras contiene una bocanada grande de ese humo
correoso dentro de los pulmones, medita sobre la conclu-
sión a la que lo llevaron veinticinco años de práctica. El placer se agota porque es uno mismo: por eso es necesario
acumularlo, atesorarlo como riqueza debajo del colchón de
la memoria. Si no, es semejante al dolor, propio o ajeno: hay
un momento en que se desvanece.

El humo llena la habitación con su aroma a dulce pi-
cante, pero él no puede notarlo. Su olfato apunta hacia un
tiempo pasado, a la par de las pupilas que miran hacia adentro... Las drogas tardaron unos años en llegar. Encontró en
ellas una especie de aditivo ideal para el sexo: ayuda para re-
concentrarse en sí mismo, en las fantasías, como durante las
primeras masturbaciones. Al mismo tiempo, la participa-
ción femenina erradicaba cualquier sentimiento de soledad. Ésa era parte de la magia: Roberto disfrutaba de las
mujeres sin tener que compartir con ellas el lugar en su interior donde nadie había entrado ni entraría nunca.

Esa vez fue una amiga quien lo condujo por la nueva ruta.
Probaron primero mariguana: conciencia de cada parte del
cuerpo, de cada célula epidérmica, del poder de la imaginación, a fin de utilizarlas en todo momento. Luego cocaína:
intensidad, distribución de sensaciones equitativamente en
cuerpo y cerebro multiplicando caricias, roces y orgasmos.
Había sido demencial. Roberto y su amiga se revolcaban y ge-
mían y bufaban como posesos de un poder superior y mag-
nífico. Más tarde experimentaron otras drogas, pero no les
encontró atractivo: alejaban o inutilizaban, eran demasiado
poderosas o débiles en exceso, nunca los accesorios que él
quería.

El cabo del carrujo ya le quema las yemas cuando lo suelta sobre el cenicero. Entre ceniza y colillas de cigarro, la última brizna de yerba refulge como ascua luchando por mantener su presencia entre cadáveres. Roberto ve el reflejo de su vida en ese cenicero: año tras año de hacer, pensar, moverse, decir, para finalmente sólo registrar una historia de vivencias muertas y olvidadas, de entre las que sobreviven unas pocas chispas persistentes. Ése es el resultado de la superación gradual, piensa, de la búsqueda, del camino de la perfección: un puñado de recuerdos. Igual que los artistas, sin dejar nunca el avance. Siempre algo nuevo, un más allá, hasta llegar a la máxima creación: la obra maestra...

—Roberto...

—¿Sí? —su voz se escucha sobresaltada por la ruptura del silencio. Extiende la mano para tocar el cuerpo de la mujer. Ella se acomoda bocabajo y se arquea un poco, ofreciendo perezosamente el trasero desnudo. Los dedos recorren la piel y se detienen en la cumbre de una nalga; se crispan en un pellizco lúbrico y ella gime y alza más el trasero para que él alcance el objetivo. Sin embargo, Roberto detiene el recorrido, aunque su mano permanece en contacto con esa piel que ahora comienza a ponerse tibia. La mujer, sin voltear a verlo, deja escapar un ronroneo de desilusión. Luego dice:

—Huele a mariguana. ¿Te la fumaste?

—Ajá.

—¿Queda coca?

—Un poco.

—No te la acabes. Guárdala para más al rato...

No hay necesidad de contestar: la mujer parece haberse dormido otra vez. Roberto carraspea, luego enciende un cigarro para recuperar el hilo de los pensamientos mientras contempla el cuarto. Es un motel de paso, de medio pelo. Un cuarto mediocre, pero es lo que alcanza a pagar. Toda la herencia se esfumó en estos años, y sin embargo estuvo bien invertida. ¿Le faltaba algo por experimentar? Se detiene buscando en su mente una respuesta. La mujer emite un ruido entre sueños, pero Roberto no la escucha. Sí, hay algo que aún no ha experimentado. Lo único, lo que podría considerar su obra maestra: el placer de la muerte.

Morir... de sólo pensarlo se excita como nunca antes. Pero de la muerte no le interesa el misterio, la eterna duda sobre lo que habrá del otro lado, la especulación acerca de otros mundos, reencarnaciones, paraísos o infiernos. No. El interés está en el acto de morir, en el placer que con seguridad inundará ese instante de transición. Pero tampoco el suicidio: eso lo distraería del objetivo, le impediría concentrarse en la muerte mientras se ocupa de procedimientos engorrosos. Además es necesario superponer las sensaciones: la muerte y el sexo, como dicen los psicólogos; morir durante el coito. Sí, tendría que ser por mano de otra... La mujer en la cama gime de gozo con el rostro sepultado en la almohada, como si leyera sus pensamientos. Mas él no la oye: una serie de imágenes cinematográficas comienza a revolotear en su mente, a bombardearlo con deseos: un oriental muriendo por asfixia a manos de su amante geisha en el momento del orgasmo; la ejecutiva montada sobre el torero, clavándole el estoque en la espalda; el mafioso asesinado a tiros mientras fornica con una de sus prostitutas; la escritora maniaca que clava una y otra vez en el cuerpo de su víctima un picahielo cuando se acerca al clímax... Libros, pinturas, pero sobre todo películas... Sí, esto siempre ha pertenecido al mundo del arte. Es preciso morir así.

Roberto suda, el calor interno lo hace temblar. La mujer se queja y levanta el trasero rítmicamente, como si se tratara de una bomba de extracción. Mira su mano que la ha estado masturbando sin darse cuenta y la encuentra húmeda, llena de jugos vaginales. La contempla: aún con el rostro hundido en la almohada, se hinca sobre la cama, semejante a un fiel musulmán que muestra humildad ante su dios, describiendo con el trasero círculos irregulares en busca de la mano de Roberto. No, ella no podría hacerlo: no tiene el valor necesario. Esa noche ha dicho que le gusta un poco de dolor durante el sexo, pero no es lo mismo. Sólo unos golpes, nalgadas, pellizcos, acaso una mordida en el momento culminante...

La erección es insoportable cuando la mujer ya tienta cerca de la cintura de Roberto, encuentra el miembro y lo manosea con fuerza. Él lleva su mano de nuevo hasta la vulva y sumerge los dedos. Al sacar el rostro de la almohada, los gemidos de la mujer se tornan en gritos, y se vuelve hacia él estirándole el falo como si quisiera arrancarlo. Por un segundo, la imagen de una japonesa que lleva entre los pechos el falo amputado de su amante cruza por su mente, y Roberto se estira en la cama para alcanzar un pezón. Lo muerde hasta casi sentir el brote de sangre y ella chilla un "así" largo y agónico. Los roces y caricias se multiplican de inmediato. Ella le clava las uñas en el estómago, él mordisquea el otro pecho mientras sus dedos empiezan a hurgar entre las nalgas. De pronto la mujer se separa sin poder contener los jadeos. "La coca", dice, "ponme cocaína, por favor..." Roberto toma el espejo, embarra en la yema de uno de sus dedos un poco de polvo, y con él frota el clítoris. La ve retorcerse entre jadeos y risa, y la pregunta cae desde lo alto nuevamente hasta chocar en su cerebro: ¿sería capaz de matarlo? Toma más coca y ahora introduce el dedo a través de los labios vaginales. "Síii...", desfallece ella, en tanto Roberto vislumbra el cuchillo sobre el buró. ¿Sería capaz...? Reúne la coca restante para aspirarla, pero ella lo detiene, "espera: en el culo también". Vuelve a tomar la misma posición de orante musulmán, y con las manos separa ambas nalgas descubriéndole el lugar. La almohada sofoca el grito al sentir el dedo y él lo hunde hasta el fondo mientras repite "te gusta, ¿verdad puta? ¿verdad que te gusta?", y piensa que quizá no vale la pena morir porque se privaría del placer de recordar escenas como ésta.

Saca el dedo dispuesto a penetrarla en esa posición, pero ella se incorpora. "Todavía no; déjame ponerte a ti también." Se recuesta de lado, coloca el espejo en la cama y pasa el índice sobre la superficie. El sudor le escurre por el cuello y resbala enmedio de los senos. Los pezones, en un sube y baja incesante de jadeos, parecen a punto de reventar. Le acaricia los testículos con la palma de la mano y, antes de untar la cocaína, se mete el miembro completo hasta la garganta. Roberto entonces se repliega, como desde aquella primera noche con la criada, en lo más profundo de sí, en esa sima donde el signo mortal se confunde con el placer más intenso. Pero no desea morir cuando ve su miembro saliendo y entrando de los labios de la mujer, ni cuando siente el aleteo de la lengua en el glande y los besos húmedos en el tronco; y entonces se repite que el placer supremo está en recordar y si muere nunca más podrá gozar de esos recuerdos.

Con el tubo de plata aspiran el resto de la cocaína. La mujer, el rostro descompuesto, lo mira desafiante con pupilas dilatadas. "Pégame", dice, "hazme lo que quieras." Roberto levanta el brazo, la bofetada estalla en la mejilla y ella cae sobre la cama entre carcajadas histéricas. Con un movimiento rápido, él toma el cuchillo del buró y lo pone frente a los ojos de la mujer que aún ríe. "Te voy a cortar en pedacitos. ¡Pinche puta!" "¡Sí, dime puta!, ¡pero ya cógeme!", grita ella al sentir un pinchazo en el hombro. La sangre excita todavía más a Roberto. Suelta el cuchillo sobre el colchón y hunde su miembro hasta el tope. El concierto de murmullos, gemidos, insultos es insoportable.

Roberto lame la sangre del hombro y ésta sabe a fuego líquido. Ella le dicta órdenes al oído: "Muérdeme, cabrón, que me duela. Así... Méteme un dedo atrás..." El orgasmo se acerca a ritmo galopante y todas las imágenes huyen de la mente creando el espacio vacío que necesita para estallar, pero la mujer lo devuelve a la conciencia con voz imperativa. "¡Ya, ya, espérate! Cógeme por el culo ahora", y rompe el abrazo para no perder tiempo, colocándose en cuatro patas. Su sangre fluye constante por el hombro, y Roberto siente que aumenta la presión de sus sienes. El placer empieza a volverse angustiante; el falo le arde. La sensación es la de una caña triturándose en un molino cuando empieza a taladrar a la mujer entre las nalgas. El cuchillo olvidado sobre la cama le abre un tajo profundo en la rodilla, pero él encuentra el dolor delicioso. Su propia sangre que mancha las sábanas lo enloquece. Empuja todo el miembro dentro, y ella grita un "¡ayy!" larguísimo, pero enseguida un "¡sí, sí, así! ¡Me duele! ¡Párteme, hijo de la chingada!" Entonces, antes de perder el sentido de la realidad, con la lucidez previa al orgasmo, Roberto desentraña ese porvenir cifrado en unos cuantos segmentos de existencia, la lógica oculta en los jirones de memoria que recordara durante toda la noche. Sobre el fondo estridente de los gritos de la mujer, esos gritos que pronto se convertirán en alaridos, el futuro proyecta su espiral en la pantalla de los párpados, y Roberto se mira en él viviendo una vejez tranquila, apacible, enmedio de una rueda de jóvenes que escucharán sus historias y harán caso a sus consejos, como cualquier anciano contento de lo que hizo con sus días. La mujer golpea las nalgas contra su pelvis con un ritmo desesperado. Él redobla el empuje asiéndola por la cintura, y un millón de insectos inician el ascenso a través de su espalda, llegan casi a la nuca. Roberto ruge y resopla en tanto vislumbra su futuro de presidiario, porque ha comprendido que la tentación de la muerte es irresistible como la del sexo, y el sexo es el camino para unir dos cuerpos en uno solo, y si uno muere durante el sexo es como si el otro lo acompañara. Los gritos de la mujer piden más y más, y él le pega el pecho a la espalda, se encabalga a

36

ella y le clava los dientes en el cuello en un último beso animal, mientras con la mano busca entre los pliegues de las sábanas el cuchillo corto y ancho bañado de su propia sangre, y ve el escándalo morboso en los titulares de los periódicos que exhibirán su foto junto a un cuerpo inerte, y al juez que lo condenará a cadena perpetua, y a los carceleros que rondarán su celda el resto de los años que le queden de vida. Pero nada de eso tendrá importancia: será tan sólo el precio de la imaginación, del deseo, de la creación de la obra maestra, del sabor de un recuerdo conservado para siempre. Vale la pena, alcanza a decirse en ese instante final en que el gozo es una llamarada de furia destructiva, cuando todo el sentir del cuerpo se agolpa de pronto en el falo y toda la fuerza de un brazo independiente y autónomo que hunde varias veces el cuchillo en una espalda que se llena de ranuras anchas y sangrantes. Y Roberto ya no piensa ni imagina nada cuando las contracciones internas de la muerte son dos fauces que atrapan su miembro hasta exprimirlo por completo, antes de desplomarse sobre un cuerpo húmedo y pegajoso, temblando en la satisfacción de haber experimentado la última frontera del placer.

Como una diosa

◆

Al salir aspiró el aliento putrefacto de la noche. Olía a calor, a sudor reseco, a basura; del suelo recalentado durante el día se elevaban vapores aceitosos. Agradeció el golpe de los efluvios de la ciudad: era una distracción. No quería pensar en Raúl. La calle se mostraba desierta por ambos lados, pero Julia sabía que a sólo dos cuadras de ahí el enjambre nocturno se encontraba en su punto más álgido. Miró la oscuridad que la envolvía y caminó con paso decidido hacia la esquina.

Rumbo al poniente se alcanzaba a distinguir la plaza llena de siluetas amorfas donde los coches disminuían la velocidad para formar una larga hilera de luces gemelas. Las cornetas y los motores se mantenían tranquilos, callados, como si nadie deseara hacerse notar por los demás. Julia revisó su vestido rojo, de licra, untándolo de lleno a su cuerpo con la palma de la mano, y con un movimiento rápido pellizcó los pezones que se marcaban en la tela hasta dejarlos bien erectos. Hundió hasta el fondo de su bolso la fotonovela cuyo título alcanzó a releer: *La diosa de la noche*. Después sacudió la cabellera negra, aspiró hondo y se dirigió a la plaza balanceando procazmente las caderas.

No había avanzado aún la mitad del trayecto cuando el primer auto se detuvo junto a ella. Era grande y de modelo reciente; al volante iba un hombre maduro, de buena figura, vestido de traje y corbata, que preguntó "cuánto" sin preámbulos ni rodeos. Julia siguió caminando sin voltear a verlo mientras murmuraba "ya me voy". El hombre no insistió, ella lo vio alejarse y dar vuelta en la primera esquina.

Al llegar a la plaza se internó de inmediato por entre los

árboles y las bancas del jardín. Quería evitar a los travestis que dominaban la acera en esa parte. No le gustaban. La competencia que ejercían le parecía desleal: eran más complacientes y cobraban más barato. Sin embargo encontraba divertido que la mayoría de ellos superara en belleza a casi todas las mujeres de la plaza.

Invisible desde el interior del jardín, se detuvo a observar las tres calles a los costados. Los travestis se extendían a lo largo de la acera por donde ella había venido, y daban vuelta en la esquina ocupando la mitad de la otra cuadra. La fila de autos era interminable. Rodeaban la plaza despacio, hasta que un homosexual se acercaba, cambiaban algunas palabras y luego el auto seguía, a veces con el conductor solo, en ocasiones con *la vestida* como nuevo pasajero. De tanto en tanto aparecían patrullas que aluzaban hacia la maraña de árboles y arbustos, y luego se iban.

Julia se acomodó en una de las bancas de granito y permaneció unos minutos pensativa. Trataba de imaginar al hombre con el que se iría esa noche. "¿Será como Raúl?" A su alrededor los árboles y el césped despedían un aroma a hierba triturada que le hacía recordar los primeros meses de su vida con él. Trató entonces de reconstruir la imagen de los dos caminando entre las casas viejas y espaciosas del pueblo, o corriendo por la orilla del río a donde acostumbraban ir a nadar en compañía de sus amigos. Pero los olores vegetales en Monterrey nada tenían que ver con los del campo.

Un extraño murmullo llamó su atención. Se detuvo sin hacer ruido y, entre las sombras dibujadas por los arbustos, descubrió una figura: de pie, recargado en una alta jardinera de pizarra negra, el muchacho estiraba el cuerpo como si sufriera los tormentos del potro mientras volvía el rostro al cielo con los ojos cerrados. La aparición fugaz de un rayo de luz le permitió a Julia distinguir un bulto que se acurrucaba junto a las piernas de él: lo que parecía una mujer en cuclillas se mecía hacia el muchacho brindándole una vigorosa succión. Hubo un segundo chorro de luz y reconoció entonces a un travesti, de los más atractivos de la plaza. "Cochinos", sonrió y caminó rumbo a la calle.

El calor se volvía insoportable por momentos. La transpiración le pegaba el vestido a la piel y le había adormecido la erección de los pezones. Recordó a la mujer de la revista que en todas las fotos aparecía con la punta de los pechos bien visible a través de la blusa transparente. Los jaló de nuevo con el pulgar y el índice, murmuró complacida "como una diosa", y salió del jardín. Bajo la luz amarillenta del farol de la esquina Julia imaginó cómo la verían los hombres desde sus autos. No había olvidado ningún detalle: vestido rojo entallado, tacones negros, bolso color de oro con correa larga, pestañas postizas, colorete y cigarros largos. Era la imagen clásica de la prostituta sexy, lista para enloquecer a cualquier tipo que pasara por ahí.

Algunos desconfiados seguramente pensarían que se trataba de un travesti desbalagado del grupo; pero los más expertos de inmediato notarían la estrechez de la espalda, el tamaño del pie y la gracia de las manos, lo exquisito de las facciones, la suave línea de las caderas que el vestido entallado resaltaba, y la naturalidad de sus pechos sin sostén. Se sabía bella, deseable, por eso tenía derecho a elegir a sus clientes. Conocía además el poder que las mujeres como ella ejercen sobre los hombres cuando los urge el deseo. Una piel limpia, bronceada sin llegar a ser morena, el cabello negro cayendo sobre los hombros como una cortina finísima, el cuerpo pequeño y bien formado que jugaba con la ambivalencia de agredir y mostrarse indefenso. Todo en ella revelaba una indefinición de actitud que hacía surgir en quien la veía, ahí en su esquina, esa pasión por el misterio que algunos hombres mantienen en el olvido. Julia sabía reconocerlos: la mirada los delataba.

Aprendió a distinguir desde muy joven el achicamiento de pupilas, el parpadeo repetitivo y el temblor en la voz de los que quieren algo. Las fotonovelas le enseñaron a identificar con rapidez a quienes estaban dispuestos a darle sin regateos lo que pidiera, aunque esos no le interesaban. Por esas calles transitaban muchos cada noche, se les veía gordos y bien vestidos, a bordo de autos lujosos, sin sorprenderse al ver aquella fauna compuesta de homosexuales, travestis, mujeres ventrudas a punto de parir, ancianas. Poseían la mirada fija de quien lo ha visto todo y sabe lo que quiere, mientras repasaban sin detenerse rostros y figuras antes de elegir. Los travestis los llamaban tiburones de la noche o lobos, a diferencia de los otros que eran las ovejas, y soñaban cada noche con ser una de sus víctimas. Varios de ellos detuvieron el auto a unos pasos de Julia, pero ella no se acercó a la ventanilla ni siquiera para probar. No tenía caso.

Esperó. Era una diosa y no podía actuar sumisamente ante ningún tiburón, por mucho dinero que hubiera de por medio. Tarde o temprano aparecería el hombre destinado a ser su feligrés, su adorador nocturno. La hilera insistente de luces dando vuelta a la plaza indicaba que aún era temprano. Alguien a su gusto tenía que venir. Alguien como Raúl... y la imagen de su boda con ese hombre cayó de pronto en su memoria.

Una camioneta llena de muchachos se detuvo en la esquina, y entre carcajadas la invitaron a ir con ellos. Julia les sonrió pero desvió la mirada hacia el fondo de la calle mientras recordaba cómo los jóvenes ricos le hacían la misma invitación en el pueblo. Por un momento tuvo el impulso, la antigua tentación de aceptar, mas cuando regresó la vista hacia el frente ya la camioneta torcía rumbo a la esquina de los travestis. Vino a su memoria la imagen del pequeño y renqueante carro en que Raúl la sacaba a pasear siendo novios y lo comparó con la camioneta. "Hubiera ido", se dijo con un gesto de decepción, y comenzó a repasar lo largo de la banqueta para desentumir las piernas.

A mitad de cuadra una panel vieja paró junto a ella. Los vidrios oscuros impedían ver hacia el interior, y ya se disponía a seguir caminando cuando la ventanilla se abrió. Era un hombre de unos treinta y cinco años, vestido correctamente a pesar de lo usadas que se notaban las prendas. Julia se acercó.

—¿Qué andas haciendo tan tarde, mi amor?

—Desvelándome —dijo el hombre con una sonrisa. Su aliento olía a cerveza y a tabaco. Carraspeó con fuerza antes de preguntar—: ¿De qué se trata?

—Por doscientos cincuenta te doy el paraíso —dijo Julia.

El hombre la recorrió con una mirada de burla. Señaló la otra esquina donde los travestis pululaban de un carro a otro, y encendiendo un cigarro, dijo con brusquedad:

—Allá cobran ochenta; máximo cien. ¿El tuyo es de oro o qué?

Una sensación de fastidio la invadió. Se detuvo unos momentos pensando qué contestar mientras el otro la desnudaba con los ojos, seguramente con la esperanza de obtener una buena rebaja. Julia se retiró:

—Sí, es de oro. Mejor vete para allá, mi amor.

La panel arrancó con un rugido, pero no dio vuelta. Detrás de Julia unos tacones martilleaban el pavimento. Se volvió. A su lado, el travesti que había visto dentro del jardín con el muchacho le sonreía:

—Hola. ¿Qué tal la noche?

Cuando lo tuvo enfrente no pudo más que admirar la belleza de aquel ser. Una belleza extraña, casi diabólica, excesivamente sensual. La cirugía había obrado milagros para crearle unos pechos tersos y abultados de los que casi la mitad aparecía fuera del vestido. Sus rasgos eran agradables y hasta el cabello semejaba ser natural. Sólo pies y manos delataban la verdadera condición sexual escondida bajo el vestido y el maquillaje. Recordó el trance en que lo había visto unos minutos atrás, y le sonrió también:

–¿Ya terminaste?

–¿De...? –la miró intrigado. Luego reaccionó–: ¡Ah! ¿Me viste? ¡Uyy, qué vergüenza! –caminó hacia ella extendiéndole la mano–. Me llamo Betty. ¿Tú eres...?

–Julia.

–Julia. Te he visto algunas veces por aquí, pero no sabía tu nombre. ¿No vienes muy seguido, verdad?

–No tanto...

–¿Tú sí eres...? –Betty no completó la frase, estudiaba con detenimiento el cuerpo de Julia, las manos, el cuello.

–Sí, soy mujer –por un instante se sintió superior, pero dijo enseguida–: Al principio creí que tú también. Te ves tan bonita, tan femenina.

–Sí, ¿verdad? –Betty se mostraba completamente satisfecho de su figura. Extendió las manos hacia afuera, como queriendo abrazar a un auto que pasaba. Luego dijo–: Soy la mejor. Pero me vine para acá porque del otro lado está muy competido. No me quiero ir en blanco.

–Por lo visto no te fuiste, manita –dijo Julia señalando hacia los árboles–. ¡Qué bárbara! Estaba rechiquito. ¿Le quitaste su domingo?

–N'ombre, si al contrario: le di. Es uno de mis viejos.

Un hombre de edad avanzada se detuvo junto a ellos. Hizo una seña a Betty y Julia lo vio caminar hacia el auto sintiendo cierta admiración por su desparpajo. Recordó a los dos únicos jotos conocidos en el pueblo, los ataques de que eran objeto, las burlas, su necesidad de vivir ocultos, buscando amantes esporádicos en la oscuridad de las callejuelas, entre los cachondos rechazados de la noche. Recordó a Raúl, que siempre se refería a ellos como "pinches degenerados". Betty la sacó de sus pensamientos:

—Está pendejo el viejito, manita: quería darme treinta mil pesos.

—¿Cuánto estás cobrando? —preguntó Julia.

—Lo justo: sesenta a la francesa y ciento veinte por todo. Pero yo traigo condones y crema. ¿Y tú?

—Según el sapo...

Permanecieron en silencio unos minutos. Julia se empezaba a sentir incómoda por la compañía. El número de carros en torno a la plaza iba disminuyendo, y Betty podría ahuyentar a sus posibles clientes, los que buscaban una mujer. La noche mantenía su camino rumbo al amanecer y hacía buen rato que no pasaba ninguna patrulla. La policía era la primera en irse a dormir.

—Se está haciendo tarde —dijo Betty.

—¿A qué hora te vas?

—Depende. Pero como a las tres y media esto empieza a valer madre. Sobre todo entre semana. Los que vienen andan muy borrachos y pueden ser peligrosos. ¿Tú a qué hora terminas?

—Depende también... —la imagen rotunda de Raúl apareció de nuevo en la mente de Julia—: pero siempre antes de que amanezca.

Un auto grande se fue acercando muy despacio. Julia no se movió pero Betty caminó directamente hacia él. Cuando estuvo a sólo unos pasos del travesti frenó por completo. No hubo saludos. Luego de unas palabras el hombre levantó el seguro de la portezuela. Betty se volvió deseándole suerte a Julia y se sentó muy cerca del conductor. Los cuartos traseros del automóvil se fueron alejando hasta que desaparecieron en la distancia.

Por su espalda se deslizó un escalofrío. Al encontrarse sola en la esquina sintió un ligero temor hacia los hombres que la veían con ojos hambrientos, sin detenerse, desde dentro de los autos, como quien está a punto de saltar sobre una presa. Pero de inmediato reunió fuerzas para sobreponerse, extrajo del bolso la fotonovela y enseguida la volvió a meter: sólo necesitaba tocarla como si se tratara de un talismán. "Soy una diosa", se repitió y comenzó a devolver las miradas a los automovilistas.

Avanzó hasta la orilla de la acera. Desde ahí podía contemplar la cumbre de algunos de los edificios del centro de la ciudad. Recordó cuando los viera por primera vez, del brazo de Raúl, el día que llegaron a Monterrey llenos de planes para el futuro. Con la vista buscó el edificio más alto, donde Raúl consiguió su primer empleo, pero una ola de rencor le impidió encontrarlo, y volvió la mirada hacia la esquina de los travestis. Aunque ya no se veía repleta, seguía siendo la desembocadura de los que buscaban el alivio para las últimas ansias del día.

El calor sofocante, el escaso viento, los sonidos lejanos que atravesaban la ciudad nocturna, monótonos y tristes, hacían de cada minuto un trecho lentísimo que era necesario salvar inventando actividades. Julia sacó un cigarro, se demoró en encenderlo y luego en fumarlo. El humo jugaba con la luz, la rodeaba, cambiaba su color y al final se disolvía en ella dividiéndose en miles de puntitos acerados hasta la llegada de una nueva exhalación. A Raúl no le gustaba verla fumar, "eso no está bien para una mujer decente", y ella rara vez lo hacía. Pero con esa noche aburrida... "decente", se repitió Julia, y su garganta expulsó el recuerdo con una corta y agria carcajada.

Arrojó la colilla a la banqueta y la pisó. Por unos instantes se entretuvo observando la brasa pulverizada, los diminutos tizones que se resistían a extinguirse. Luego paseó su cuerpo lentamente por el cordón de la acera. Un auto pequeño llevaba al parecer un buen rato a unos metros de Julia sin que ella lo notara. Se acercó para poder distinguir el rostro del conductor. Un hombre joven, no más de treinta años.

Fumaba con nerviosismo y cuando Julia lo miró él desvió los ojos con un pudor extraño. La camisa blanca y el pantalón gris delataban su condición de empleado. Julia llegó hasta la ventanilla:

–¿Me regalas un cigarro?

El hombre no dijo nada. Sólo sus ojos dejaron escapar una expresión de incomodidad por la treta usada por Julia para hablarle: él la había visto tirar la colilla pocos momentos antes. Daba la impresión de tener algo atorado en la garganta. Sus manos no eran firmes al acercar el encendedor al rostro de Julia. Ella, divertida, le acarició el antebrazo mientras prendía el cigarro. Lo estudió bien: era su hombre de la noche.

–Gracias. Me llamo Julia, ¿y tú?

–Armando.

–¿Y bien, Armando? ¿Qué haces por aquí? ¿Quieres acción?

–¿Cuánto?

–¿Qué es lo que quieres? –preguntó dándose tiempo para calcular lo que podría traer en la bolsa un hombre como él. "No mucho", pensó, "si acaso doscientos mil." Vio la argolla de matrimonio en uno de sus dedos, "cabrón, como todos", y pensó de nuevo en Raúl. ¿Sería Armando como él? Debían ser de la misma edad, pero Armando era mejor parecido, además inspiraba ternura: parecía galán de fotonovela. Como el otro no salía de sus titubeos, Julia golpeó suavemente el tablero del coche con las uñas mientras dibujaba una interrogación en el rostro.

–¿Eres mujer? –preguntó al fin con voz apagada.

–¡Claro, mi amor! –luego añadió–: Completita. ¿Qué es lo que vas a querer?

–Todo.

–¿Todo? –Julia apoyó los senos en el canto de la ventanilla para que aumentaran su volumen, mientras sonreía coquetamente–: Te lo doy por doscientos. Él dejó escapar una expresión de angustia. Se palpó el bolsillo del pantalón. Dijo:

–No traigo tanto...

–Uuy, papacito, si te estoy haciendo rebaja. En la otra esquina cobran menos, pero ahí tú sabes si le haces a la carne de puerco. –Casi se sintió enternecida al ver el rostro de Armando: parecía un niño al que se regaña por una travesura ya olvidada. Julia suavizó el gesto a la vez que se mordía el índice–: ¿Ciento cincuenta sí traes?

–Ciento treinta...

–Hijos, ciento treinta ni tu esposa, manito.

El hombre enrojeció: ya había caído en la trampa y estaba envuelto en el cerco sensual de Julia. Insistió, por primera vez con ganas de convencer:

–Te conviene. Ya es tarde para que venga otro. –Luego, como arrepintiéndose de lo dicho–: Lo necesito... vamos ¿no?

Lo contempló pensativa. ¿Sería tan tierno como aparentaba? Quizá su mujer no le hacía caso, o estaba embarazada. No tenía tipo de putañero. Le gustaba mucho y decidió que la falta de dinero se compensaba con el atractivo de lo que encontraría en él.

–Está bien. Nomás para que veas que soy buena onda –y agregó como hablando consigo misma–: y porque deveras estás guapito, mi amor.

Abrió la puerta y se sentó junto a Armando. Cruzó las piernas dejando que el vestido resbalara hacia arriba. Él encendió el carro y, al arrancar, su mano en busca de la palanca rozó la piel desnuda de Julia. Temblaba. Se sintió halagada: ya fuera por nerviosismo o por excitación, el temblor en las manos de un hombre era a causa suya. Extendió un brazo y con su mano condujo la de Armando hacia el muslo, justo en el borde de la tela. La mantuvo cubierta, inmóvil, mientras el calor femenino devolvía la firmeza al hombre. Entonces él se atrevió a acariciarla por sí solo y Julia cerró los ojos, abandonándose al sentir de otra piel sobre la suya.

El auto se detuvo unos momentos. Se inclinó a su izquierda, aún sin abrir los ojos, y lo besó en el cuello mientras deslizaba una mano por la pierna del hombre. Su lengua recogía un sabor salado al lamer la mejilla mal afeitada y estiró la cabeza ante la urgencia de morder el lóbulo de la oreja. Pero cuando sus dedos alcanzaron el miembro henchido bajo el pantalón, un sobresalto la obligó a separarse bruscamente. La calle estaba desierta, sólo un semáforo en rojo palpitaba frente a ellos. Un temor intenso y repentino le corría por todos los nervios del cuerpo y le erizaba la piel con una sensación muy distinta a la del placer. Como si despertara de una borrachera, la cabeza del desconocido que se pegaba a su escote; sintió los dedos que hurgaban entre sus piernas llenos de ansiedad, y los encontró ajenos, terriblemente extraños a su cuerpo. Buscó algo en su mente a lo que pudiera agarrarse para escapar de la situación:

—¿A cuál hotel vamos?

—No vamos a ningún hotel —contestó él jadeante.

—¿Entonces? —Julia dio un respingo y retiró la mano de él. Ya no podía controlar su miedo—. ¡Yo no quiero ir a tu casa!

—No vamos a mi casa. Vamos a mi oficina. Es aquí cerca...

—¿A tu oficina?

—Sí, aquí por el centro, en un edificio. Mira, traigo la llave.

"En un edificio", se repitió, "como Raúl." Por alguna razón pensó que seguramente se trataba del más alto de la ciudad. Julia miró al hombre que tenía a su lado, y su sonrisa estúpida, suplicante, la hizo estallar. En ese instante la ira fue más fuerte que el miedo. Se enderezó en el asiento y ordenó:

—Párate aquí.

—¿Qué te pasa? —por primera vez un acceso de coraje se reflejaba en la voz de Armando.

–No voy a ir a ninguna oficina.

–¿Entonces?

–Si quieres vamos a un hotel.

–¿Tú lo pagas?

–¿Estás loco? Después de que te hago precio...

–¿Y qué diferencia hay entre un hotel, una oficina o una casa? Si lo que vamos a hacer se puede hasta en la calle...

–Mira, si no vamos al hotel mejor regrésame a la plaza.

–¡Oh, que la chingada! ¡Si ya habíamos quedado!

–Regrésame a la plaza...

–Mira, pendeja, si quieres bájate aquí –orilló el carro–. Para eso me gustabas, pinche puta: para que te pusieras tus moños.

Julia abrió la portezuela y el aire caliente de la noche le pareció fresco a comparación de la atmósfera dentro del auto. Contempló a Armando que seguía masticando su rencor y mostraba una expresión idiota. Ya abajo, se consideró a salvo y mientras arreglaba su vestido se palpó senos y nalgas como diciendo "lo que te perdiste". Armando era insignificante. Julia le envió una mirada de desprecio desde su altura, cerró la puerta con violencia, y sólo para sentirse bien, decidió regresarle los insultos:

–Vete con tu "viejita", muerto de hambre hijo de la chingada.

El hombre dio un pisotón al acelerador. Las ruedas traseras patinaron sobre grava suelta y algunos fragmentos de piedra rozaron los zapatos de Julia. Cuando el auto desapareció a lo lejos, la calle regresó a la soledad y al silencio. Se entretuvo unos minutos en reconocer el lugar. Las cortinas metálicas que sellaban los negocios le indicaron dónde se encontraba. Aunque no se habían alejado mucho, de ahí a la plaza sería un buen rato a pie, y Julia se sintió de pronto llena de cansancio. El miedo casi se le había desprendido del cuerpo, pero la seguridad completa sólo la encontraría al regresar a su esquina. Calculó la distancia y comenzó a andar hacia el oriente, donde la negrura del cielo insinuaba ya una pérdida de intensidad.

Caminaba procurando imitar el paso de las prostitutas que había visto en el cine o en las revistas, como lo hacían los travestis de la plaza. Movía las caderas ostentosamente y balanceaba el bolso en una mano, como si se tratara de un péndulo. Ninguna de las prostitutas del rumbo lo hacía así. En ellas, la pereza, los años, la gordura o la miseria, habían acabado hasta con los últimos rezagos de coquetería. No se comparaban con la vitalidad y la belleza juvenil de Julia. En cambio ella sí podía resistir la comparación con algunas actrices. Sonrió. Era divertido vivir así la noche, como las heroínas de las fotonovelas. Sin embargo, cuando inició su noviazgo con Raúl, éste le había prohibido leerlas porque "echan a perder a las mujeres".

A la mitad del camino el cansancio se hizo más pesado. No estaba acostumbrada a usar tacones y el dolor en las pantorrillas comenzaba a ser insufrible. Por un momento se arrepintió de haber dejado ir al cliente, pero la idea de que quizás aún hubiera movimiento en la plaza la confortó un poco. No le atraía el regreso a casa: la ciudad lucía triste en la soledad, pero era todavía más triste el encierro en un cuarto donde no había nada que hacer. Llegó agotada. Los automovilistas habían desaparecido de los alrededores de la plaza, y en la otra esquina sólo permanecían un travesti y una mujer encinta. El cielo en el oriente cambiaba del azul al rosa pálido y pronto empezarían a aparecer madrugadores por las calles. Un auto pasó rápidamente sin detenerse y Julia imaginó cómo se veía ahora. El cansancio y el hambre ya se notaban en su rostro; además, de pronto tuvo ganas de dormir. "Ni modo", se dijo, "ya no hay nada que hacer aquí."

—¿Ya te vas? —una vieja salió a su encuentro a mitad de cuadra. Julia no pudo reprimir una sensación de malestar al verla: los grumos del maquillaje se confundían en ese rostro multicolor y era imposible distinguir las ojeras y las arrugas de las sombras artificiales. Le faltaban algunos dientes. De entre la tela de su blusa sobresalían los senos flácidos, y más abajo el vientre abultaba la falda dando un aspecto grotesco a toda su figura.

–Sí, ya me voy –dijo Julia. Luego agregó al ver que el travesti y la embarazada se acercaban–: ¿Ustedes se quedan?

–A ver si vienen los últimos –contestó el travesti. Era gordo y alto, parecía un luchador–. No hubo nada hoy. Tú al menos tuviste algo de acción, vimos que te fuiste con el del bochito...

–Sí, por lo menos algo hubo. Bueno, mucha suerte...

–Nos vemos.

Julia pensó que los tres parecían fantasmas extraviados al avecinarse el amanecer. Quien los viera podrá llevarse un susto de muerte, sobre todo si era tomado por sorpresa. ¿Cómo se veía ella? Con cara de desvelada, pero bella aún, de eso estaba segura. A lo lejos una anciana barría la calle con actitud de perfecta concentración. No reparó en Julia. "Es más tarde que otros días", se dijo, y pensó en Raúl.

El rumbo se veía distinto al amanecer. La basura parecía haber disminuido, barrida quizá por el insípido viento nocturno. El canto de pájaros invisibles comenzaba a aturdir, y Julia aceleró el paso. Antes de entrar al edificio se descalzó, sintiendo el alivio de posar toda la planta de los pies sobre el suelo. Caminó con cuidado para no despertar a los que dormían tras las puertas del largo pasillo que aún se mantenía en penumbra. Su cuarto era el último. Abrió la puerta sin hacer ruido y la recibió una oscuridad absoluta.

Se desnudó en silencio desde la entrada y metió el vestido y los zapatos en un bulto que contenía un camisón viejo y arrugado. Se lo puso después de pasarse un trapo húmedo por el rostro hasta borrar a medias la pintura. Después sacó del bolso la fotonovela, guardándola en el cajón de su ropa interior para leerla de nuevo al despertar. Cuando escondía el bolso bajo la cama, un gemido ronco la hizo estremecerse. Encendió la lámpara del buró.

—¿Ya te levantaste? —dijo Raúl entre sueños, pero enseguida volvió a roncar ruidosamente.

De pie, Julia contempló al hombre que dormía la borrachera desde la noche anterior. Por el rostro fofo, de anciano prematuro, le escurría un hilillo de baba y su aliento llenaba la habitación con un penetrante olor a cantina. Puso el despertador: en dos horas tendría que levantarlo para ir al trabajo. Respiró profundo para contener el llanto, y mientras se acostaba murmuró:

—Hoy tampoco pude atreverme, infeliz. Pero te juro que mañana sí. Mañana sí...

La noche más oscura

◆

El mirador, desde el que se domina gran parte de la ciudad, se hallaba completamente vacío. Por la carretera no corría ningún auto. Sólo a lo lejos millones de luces parpadeaban, enroscándose para dibujar laberintos, telarañas, figuras asimétricas de neón. El cielo se cubría con nubes oscuras, y el viento arrancaba ya de matorrales y calles las primeras tolvaneras cuando una camioneta apareció dejando atrás una curva, después torció para adentrarse en el terraplén, avanzó hasta la orilla del pavimento y se detuvo.

—Ya es tarde —dijo ella esquivando el beso que Hernán intentaba después de apagar los faros y el motor—. Mañana tengo que ir a la facultad, y tú al trabajo. Además puede llegar la granadera. Mejor llévame a la casa.

—Sólo un rato, Rosario —la abrazó—. Al cabo tu mamá ya debe estar dormida de todos modos.

—Pero la policía...

—Ahorita no hay granaderas. Están dormidos por ahí.

Sin esperar respuesta comenzó a acariciarla mientras la besaba. Rosario sintió una respiración húmeda en el oído, salpicada a veces por un clic metálico cuando los dientes de Hernán encontraban uno de sus aretes. Se estremeció. Hernán había bebido en la fiesta y era imposible negarle nada. Dispuesta a corresponder, fue resbalando poco a poco sobre el asiento hasta perder de vista el espectáculo nocturno de la ciudad. Dentro de la estrecha cabina, el rostro convulso de Hernán se iluminaba de cuando en cuando con el flashazo de algún relámpago.

◇

–Ya, ¡ya! ¡Agüítala! Es para todos, hijo –el Pepo arrebató el cigarro de los labios de Ramón–. Ya ni chingas, lo carburaste todo.

–¡Deja de quejarte y pásalo ya! –intervino Lorenzo.

–¡Oh, güey! Tavía ni fumo.

–Pos apúrate, ¿no?

El enorme lote baldío se veía desierto. Dentro del carro, con todas las ventanas arriba, el humo acre de la marihuana se concentraba penetrando hondo los pulmones, mezclándose en el cerebro con el Don Bucho y el tequila traído por Lorenzo. En un rincón del asiento trasero, el Mongo dormitaba con la lata de pegamento entre las piernas.

–El Mongo ya piró, raza –Lorenzo tosió expulsando el humo por la nariz y la boca–. No aguanta nada el bato.

–Lo que pasa es que no suelta el chemo –dijo el Pepo con voz lenta–. Seguirito que orita anda en brazos de la muerte.

–¡No la chingues! –se alarmó Ramón–. ¿Y luego qué hacemos?

–Pos lo tiramos y ya –contestó el Pepo riéndose.

Ramón, asustado de veras, zarandeó al Mongo por un brazo: "¡Carnal, carnal! ¡Despierta!" El Mongo gruñó algo parecido a un "déjame en paz" y Ramón suspiró aliviado. Pegó un manazo a la ventanilla, mientras volteaba a ver a los demás con felicidad:

–¡Está vivo! ¡Está vivo!

–Si serás pendejo –dijo Lorenzo–: éste habló de la muerte porque el Mongo alucina que se va pal otro barrio, que con el chemo se siente morirse bien chido, no porque de veras estuviera muerto, güey.

–Ya se acabó el churro –el Pepo tiró la última brasa al piso para no quemarse–. ¿Vamos por más chupe?

–¡Ah, chingá...! –exclamó Ramón–. ¿Tú traes lana?

–Eso es lo de menos –dijo Lorenzo batallando para encender el carro–: nos transamos un súper, o a cualquier cabrón en la calle y ya.

Cuando el motor encendió después de varias sacudidas, el enorme Chévrolet abandonó lentamente el baldío, avanzó por un camino de tierra, y por fin, salió a una avenida donde pudo alcanzar un poco más de velocidad. Lorenzo abrió la ventanilla y un aire violento, húmedo y lleno de polvo, barrió el olor a marihuana y a pegamento.

Un perro amenazó a la noche con sus ladridos de reto y Mario contuvo el impulso de salir corriendo. El animal se revolvía en gruñidos y arañazos contra la malla que lo encerraba junto a la acera, sin perderlo de vista. Mario tuvo que bajarse hasta media calle, le mentó la madre al animal y se palpó instintivamente el corazón. Los latidos eran rápidos, pero no supo si se debían al susto o a la buena distancia caminada. Pensó en el motor muerto de su carro: "Mala suerte no saber nada de mecánica". Dejó atrás al perro y siguió dando grandes zancadas sin querer pensar en todo el camino que le restaba hasta su departamento, al otro lado de la loma. "Todavía peor suerte no traer ni para el taxi."

De pronto cada paso se le hizo más difícil, más pesado. Miró hacia adelante y encontró la calle que se levantaba hacia unos edificios nuevos, retorciéndose como culebra en un absurdo juego de serpientes y escaleras en un tablero colocado al revés. Pensó entonces que el ascenso exigiría todo el esfuerzo de sus piernas, y no había manera de hacer un rodeo. "Lo único bueno es que llegando a lo alto lo demás es fácil", se dijo. Alzó la cabeza y recorrió con la mirada las construcciones sobre la cumbre: las más modernas de la ciudad. Incrustado en el cielo, el más alto parecía luchar contra el embate de las nubes que lo cercaban, negras y bajas, tomando desde el punto en que se encontraba Mario la apariencia de un rascacielos. Un relámpago iluminó los edificios, seguido de un trueno que estalló muy cerca de ahí. "El colmo de la mala suerte", pensó Mario entre jadeos, "va a llover."

A lo lejos, otro perro comenzó a ladrarle a los pasos que se acercaban.

◇

Las luces de colores del televisor se derramaban sobre la cama iluminando dos rostros crispados. Él fumaba nervioso al lado de un cenicero repleto, y ella bebía whisky en un vaso corto mientras de tanto en tanto se mordía las uñas, arrancándose el esmalte pero sin atreverse a romperlas. Al terminar el whisky, dejó el vaso sobre un buró repleto de frascos de pastillas. En la pantalla, un documental de la CBS transmitía violentas imágenes de guerra.

−No es posible que esto esté ocurriendo −dijo Edna angustiada−. Tienen que detener a ese asesino o va a acabar por destruirnos a todos.

−¡Shhh! ¡Cállate! −la interrumpió Samuel−. Estoy tratando de entender.

−¡Pues dime de qué está hablando!

−Otra vez están bombardeando Israel. Con misiles, creo.

−¿Y de los misiles que lanzó a Europa no han dicho nada?

−¡Cálmate! Seguramente es mentira.

−¡Que me calme! ¡Mentiras! ¿Cómo voy a calmarme? ¿Qué no entiendes que ese hombre está loco? −Edna saltó de la cama y fue hacia una mesita junto al televisor. Volvió con el vaso de whisky lleno−. Quiere destruir el mundo...

Samuel no contestó. Durante varios minutos sólo se escucharon en la habitación las palabras en inglés del cronista y el entrevistado. De pronto, apareció en pantalla un mapa de los Estados Unidos y por unos momentos la narración fue interrumpida. Edna se levantó, murmuró un "tengo calor", y fue a aumentar la potencia del clima. Al regresar a la cama, vio que sobre el mapa un indicador iba señalando algunos lugares del estado de Texas.

–¿Es Houston, verdad? –exclamó Edna–. ¡Dime qué dice!

–Parece... –murmuró Samuel profundamente abatido– que se teme que en cualquier momento manden misiles para bombardear el país. En Texas hay varios puntos estratégicos.

Edna saltó de la cama y caminó en círculos por la habitación repitiéndose: "No puede ser. No puede ser". Recordó que los misiles en ocasiones erraban o eran desviados. Texas no estaba lejos... "¿Y si cayeran aquí, en Monterrey?" Abrió las cortinas de un manotazo. La ciudad se extendía bajo su ventana muchos metros abajo. Una serie de relámpagos la asustó y volvió rápidamente a la cama. Su marido encendió un nuevo cigarro mientras apagaba el televisor. Edna tomó un calmante y antes de cerrar los ojos murmuró:

–Dime que no puede suceder. Dímelo, por favor.

Samuel aspiró el humo profundamente. No contestó.

–Ya ni chingas, ¿por qué le das por aquí? –el viejo Chévrolet se arrastraba trabajosamente, bufando en cada metro ganado a la subida–. Vas a joder el carro, güey. De por sí...

–¡Oooh! Tranquilo –Lorenzo le sonrió con burla al Pepo–. El buque aguanta.

–¿Pero adónde vamos?

–Orita, en la bajada, hay un súper. ¿No querías seguir chupando?

–Además por aquí se ve con madre la ciudad, Pepo –dijo Ramón sacando la cabeza por la ventanilla–. Miren las luces,

las fábricas, los edificios, ¡qué chingona ciudad! ¿A poco no?
Por allá está el barrio... Y el aire. Así, fresco. Como que va a
llover... Qué chido se siente el aire, ¿no?

—Qué chido... —se rió Lorenzo—. Chido estuvo el marro.
Andas hasta la madre, carnal.

En la parte más alta el carro perdió potencia. El motor
temblaba, boqueando en busca de más aire. El ruido seña-
laba que iba a detenerse en cualquier momento. La noche
se volvía cada vez más oscura, pero dos relámpagos seguidos
alumbraron la amplitud de la avenida y el extenso terreno
del lado derecho. Una camioneta parecía abandonada en el
mirador.

—¿No te dije? —exclamó el Pepo cuando la máquina se detuvo por completo—. ¡Esto ya valió madre!

—No seas pendejo. Yo lo apagué. Quiero ver si están cogiendo aquéllos —señaló hacia la camioneta.

—¡Cabrones! ¿No se agarren ai! —gritó Ramón cuando distinguió una silueta a trasluz—. ¡Succiónala, bato!

—Ya déjense de chingaderas y vamos por el pomo. A eso
venimos, ¿no? —dijo el Pepo impaciente.

—¡Qué pinche agüite eres, Pepo! —gritó irritado Lorenzo
encendiendo nuevamente el motor.

Con los ojos entrecerrados Rosario contemplaba, a través
del vaho en el parabrisas, las nubes negras que brillaban al
reflejar las luces de la ciudad. Hernán se movía sobre ella
besándole el cuello, y sus jadeos se confundían con el rechi-
flar del viento. No lograba concentrarse. El placer ocurría a
ella muy despacio, como si llegara desde muy lejos, en olea-
das lentas que nunca alcanzaban a llenarla por completo a
causa de la rapidez de Hernán. No podía adaptarse a esa rutina sexual de falda arremangada y pantalón en las rodillas,

en la oscuridad del autocinema, parques solitarios y miradores. Hernán en cambio lo disfrutaba. Era su idea de emoción y variedad. Incluso le había propuesto seguir haciéndolo de ese modo después de casarse, cuando Rosario terminara sus estudios. Cerró los ojos en busca de las sensaciones de su cuerpo, y los mantuvo así siguiendo en su interior la rítmica respiración de Hernán.

A través de los párpados apretados con fuerza, sus ojos distinguieron el intenso resplandor que penetró en la cabina. Creyó que por fin alcanzaría el orgasmo. Pero el trueno cimbró toda la ciudad como el redoble de un tambor gigantesco y la obligó a abrir los ojos. Hernán no parecía haberse dado cuenta. En el cielo las nubes ya no podían distinguirse: todo era una sola mancha negra.

–Se acaban de apagar las luces –dijo.

–Mejor... –alcanzó a murmurar Hernán antes de acelerar el ritmo de sus caderas.

Rosario volvió a cerrar los ojos.

◇

–¿Aaayyy! –Edna despertó aterrorizada en la oscuridad–. ¿Qué fue eso Samuel?

–No sé. Un rayo quizá.

–¡No pudo ser un rayo! –accionaba inútilmente el interruptor de la lámpara–. ¡Un rayo no apaga las luces! ¿Oíste la explosión?

–¡Cálmate, Edna! ¡Fue un rayo que cayó en la planta eléctrica! –gritó Samuel para tranquilizarla.

Edna corrió hasta la ventana. Su terror aumentó cuando no pudo ver la ciudad a los pies del edificio. Todo era oscuridad. Sólo algún solitario par de luces surgía de entre las sombras, muy lejos, para luego extinguirse enseguida. En el cielo el fulgor de la luna se esforzaba por atravesar la cortina negra de nubes, penetrando escasamente entre jirones que parecían cabellos vaporizados.

—¡Toda la ciudad, Samuel! ¡Se apagó todo! ¡Fue una bomba!

—¡No puede ser una bomba, Edna!

—¡Sí! ¡Dicen que chupan toda la energía antes de explotar!

—¡Eso es imposible, Edna! —corrió a abrazarla—. ¡Los misiles no pueden llegar hasta acá!

—¡Mira! —Edna señaló el cielo—. ¡Es humo! ¡Es el hongo!

—No es una bomba, mi amor —Samuel la condujo a la cama—. Fue sólo un rayo que cayó en la planta de luz.

—Entonces, ¿por qué no se activa la planta de emergencia del edificio? —Edna sollozaba.

—Esas cosas tardan... —dijo Samuel intentando convencerse.

◇

Mario caminaba a ciegas maldiciendo la subida y la oscuridad cuando una barra de luz fue a estrellarse en su rostro. Levantó una mano para protegerse. El miedo lo invadió y quiso correr, pero las piernas cansadas no respondían a sus impulsos. La luz lo recorrió de arriba a abajo para luego desviarse hacia el suelo.

—¿Qué anda haciendo, joven? —dijo una voz añosa.

—¿Perdón?

—Le pregunté que qué anda haciendo por aquí a estas horas.

—Se me quedó el carro... —Mario titubeó—. No traigo para el taxi. ¿Es usted policía?

El hombre se acercó hasta unos dos metros. Gracias a la luz de la linterna, Mario pudo distinguir una silueta corpulenta, coronada por una gorra. La sirena de una ambulancia se escuchó a lo lejos y cientos de perros corearon su canto.

60

–Qué nochecita... –dijo el hombre para sí–. No soy policía, soy el velador de este edificio–. Dirigió la linterna hacia arriba, y el círculo de luz se paseó por varios pisos hasta difuminarse sin alcanzar a recorrerlo todo–. ¿Y para dónde va?

–A mi casa. Pasando la lomita...

–Mejor tómese un café conmigo. Así a oscuras no va a llegar a ninguna parte.

Mario siguió la silueta del hombre hasta lo que parecía una cochera.

◇

–¿Cuántas te trajiste?

–Pos nomás una, ¿y tú? –contestó Ramón.

–Qué pendejo estás, yo agarré dos –dijo el Pepo–. Con el apagón, ni color se dieron. ¿Y tú Lorenzo?

–Una también.

–Bueno, pos abriéndolas, ¿no? Cada quien la suya.

–¿No se te hace difícil manejar así?

–¿Oscuro? –Lorenzo destapó el tequila con los dientes–. Ni mais, soy un chofer bien chingón. Es como andar en carretera.

–¿Y ora dónde vamos?

–No sé –contestó Lorenzo–. Pero ando bien caliente.

–¿Y eso qué? –se burló el Pepo–, ¿a poco ora vamos a ir a robar un congal?

–Pos un congal no. Pero vamos a ver si nos la rola el güey que estaba cogiendo allá arriba.

–¡Sobres, bato! –aprobó Ramón–. ¡Yo te apoyo! ¡Se me hace que con eso hasta el Mongo despierta!

–¡Pérense! ¿Qué traen? –preguntó el Pepo–. ¿Qué van a hacer?

–Cálmate, Pepo. Míralos, ai tan.

Lorenzo apagó los faros al salir de la curva y bajó despacio al terraplén, acercando el auto a la camioneta. La silueta de la pick-up apenas podía distinguirse por el vacío al otro lado. Dentro del Chévrolet, los tres hombres dieron largos tragos cada uno a su botella. Ramón acercó la lata de pegamento a la nariz del Mongo mientras le susurraba: "Despiértate, manito. Despiértate".

◇

—¿Y quién vive en esta torre? —preguntó Mario.
—Puros ricachones. Yo ayudé a construirla, y ni siquiera puede imaginarse todo lo que le pusieron a estos departamentos —contestó el velador—: sauna, clima central, cristales super resistentes, creo que hasta antibalas, puertas eléctricas, alfombras, parabólicas. El edificio tiene su propia planta eléctrica, pero nunca la habían probado, yo creo que no funciona.
—O sea que ahorita no pueden salir —Mario dio un sorbo al café—. Digo, por las puertas.
—Ni cuenta se dan. Esta gente se duerme temprano para madrugar. Yo creo que por eso tienen dinero.
—Estuvo duro el rayo...
—Muy duro. Si esto fuera la capital, hubiera creído que era un temblor.
—Qué rara la ciudad. Nunca la había visto así, a oscuras —dijo Mario.

◇

—¿No sientes más calor?
Samuel creía haber podido calmar a Edna pero en la pregunta comprendió que estaba equivocado. Sabía la dirección que llevaba el pensamiento de su mujer.
—Es porque se apagó el clima, mi amor —contestó.

62

–¡No me engañes! ¡Sabes que son las radiaciones!

–¿Pero cuáles radiaciones, Edna? –se enfureció Samuel–. ¡Serénate! ¡Es tan sólo un apagón!

–No. No es un apagón –temblaba–. ¡Las radiaciones van de arriba a abajo! ¡Es necesario salir! ¡Bajar!

Edna salió corriendo de la habitación y Samuel la siguió. Fue hasta la puerta y apretó el botón para abrirla varias veces sin resultado. Entonces la golpeó con los puños mientras histérica daba rienda suelta a los gritos:

–¡Auxilio! ¡Sálvennos por favor! ¡Auxilio!

–¡Mi amor! ¡Mi amor! ¡Cálmate!

Samuel la contuvo al fin y la arrastró hacia el piso. Ahí la abrazó por la espalda fuertemente, intentando controlar su propio terror mientras sentía cómo su esposa se deshacía en convulsiones.

◇

Rosario terminó de alisarse la falda con un dejo de decepción mientras Hernán orinaba la llanta de su lado eructando como si acabara de comer. Sacó de su bolsa un tubo de colorete, y en el momento de encender la luz de la cabina para pintarse, vio dos escenas simultáneas: unos hombres pasaron rápidamente junto a la portezuela abierta en dirección a Hernán y otro metía el brazo por su ventanilla, buscándola a manotazos. Se sintió asida con violencia del cabello, y mientras luchaba por zafarse alcanzó a oír golpes y botellazos mezclados con los gritos de su novio. Más tarde, cuando el brazo se enroscó en su cuello ahogándola, escuchó los gritos de Hernán al rodar por la pendiente, despeñando piedras hacia el barranco. A partir de ahí todo le resultó confuso.

–¡Apaga la luz rápido! –ordenó Lorenzo–. ¡Puede venir alguien!

–¡Sáquenla! ¡Sáquenla! ¿Qué tal está?

–¡Está bien buenota! ¡Ay, mamacita! ¡El banquetazo que nos vamos a dar!

–¡Tráiganla! ¡Aquí en la caja nos la echamos!

La arrastraron hacia la parte trasera de la camioneta y la levantaron de los cabellos para subirla, haciéndola gritar. Uno de los hombres le dio una cachetada: "¡Cállate, puta!" Sintió cómo la ropa se le desprendió con violencia, un dolor agudo en los hombros cuando le arrancaron el sostén, y seis manos ásperas que le recorrían los senos, el estómago, las piernas. Olían a sudor y alcohol fuerte. A marihuana. La voz del que parecía llevar la pauta dijo: "vamos a darle un traguito", y Rosario no entendió hasta que un chorro de olor penetrante empezó a caerle en los labios. Tosió. Le quemaba la garganta. Intentó eludirlo pero le sujetaron la cabeza y le metieron el cuello de la botella dentro de la boca, hiriéndole encías y dientes. El licor le adormeció pronto la lengua y dejó de toser antes de que la botella se vaciara por completo. Se sentía adormecida, los brazos y las piernas ya no tenían fuerza. La presión de las manos de los hombres disminuyó. Arriba, las nubes se reacomodaban y Rosario pudo ver cómo una luna lejana se esforzaba en abrirse paso, antes de que la silueta de uno de los hombres se interpusiera.

–Yo voy primero –dijo Lorenzo.

El viento sacudía los cristales del edificio con ráfagas intermitentes. Algunas ventanas vibraban. Mario apuró el resto de café que quedaba de su taza de plástico e hizo un gesto de desagrado por el sabor acre. Vio la silueta gacha del velador junto a la hornilla: sus movimientos apenas se perfilaban a la luz débil de las llamas azules.

–¿Cree que tarde mucho? –preguntó.

–¿La luz? –el velador se irguió–. No creo. Estas cosas pasan de vez en cuando: los rayos queman los transformadores de la planta, pero ponen los de repuesto luego luego. Un rato más y verá.

Mario caminó hacia la banqueta. Apenas salió de la cochera, sintió el roce del viento en la piel. Ya no olía a humedad. Dio unos pasos hacia el centro de la calle buscando un ángulo desde donde pudiera distinguirse la ciudad, pero abajo, donde se suponía que estuviera, sólo había una mancha negra en la que reinaba el silencio.

–Dicen que hace algunos años –empezó a decir Mario cuando escuchó los pasos del velador tras de sí–, unos quince años, hubo un apagón igual en la ciudad de Nueva York. Y que la noche se llenó de crímenes, asaltos, violaciones, accidentes..., incluso de suicidios.

–Es que los gringos están locos –contestó el otro–. Nomás es cosa de ver la tele. Los mexicanos siempre somos más tranquilos. Digo, si no nos buscan. Allá están llenos de asesinos y enfermos mentales. Ha de ser por tanta droga y tantas películas de viejas encueradas. Por eso hay tanto psico... ¿cómo? Psicópatas, creo. Y tantos suicidas. Ya ni siquiera creen en Dios. Aquí no. Mire nomás para allá –señaló el agujero negro de la ciudad–: si no fuera por el aire y las nubes sería una noche hermosa, así, sin luz.

–Si usted dice... –apuntó Mario.

–Sí, hombre. Claro que sí –el velador regresaba a la cochera–. Véngase. ¿No quiere otro cafecito?

–No, muchas gracias –contestó Mario, y antes de seguirlo volvió a buscar con los ojos la ciudad.

Los temblores fueron abandonando lentamente el cuerpo de Edna, y Samuel pensó que la crisis había pasado. La estrechó con más suavidad sintiendo cómo el cuerpo femenino se relajaba. Sin embargo, él mismo seguía preguntándose qué era lo que había ocurrido, por qué la electricidad no volvía, por qué toda la ciudad... No podía apartar de su mente las imágenes vistas en el televisor ni las palabras del cronista que creyó entender. Sentía pena por la debilidad de su esposa y ensayó una caricia suave pasándole una mano por el rostro. Un dolor agudo en los dedos le arrancó un grito y casi al mismo tiempo Edna se puso de pie. En su rostro, las facciones estaban transformadas por el pánico y la cólera.

—¡Me mordiste! —gritó Samuel apretándose la mano.

—¡Nos vamos a morir y tú no haces nada! ¡Nada!

—¡Edna! ¡Por favor...! —se levantó y caminó hacia ella.

—¡No! ¡Vete! —los gritos de Edna se extinguieron en su carrera a la recámara. Samuel la escuchaba con dificultad—: ¡Tú te quieres morir! ¡Y quieres que me muera contigo!

—¡Nadie se va a morir, Edna!

La siguió a la habitación, donde Edna se lanzó con fuerza contra el ventanal chocando con el vidrio ruidosamente. Fue rebotada casi hasta la cama. Samuel corrió a levantarla pero cuando llegó ella ya estaba arrancando la pequeña lámpara de noche del buró y lo recibió con un golpe en el pecho. Se tambaleó y no pudo esquivar el segundo golpe que le cayó sobre la coronilla tumbándolo sobre la alfombra.

—¡No voy a morir contigo! ¡A mí no se me va a llenar de ampollas la piel! —gritaba Edna con los ojos muy abiertos—. ¡Todavía puedo salvarme! ¡Todavía es tiempo!

En el momento de recibir el tercer golpe Samuel aún manoteaba para detenerla. La lámpara se rompió, lo que aminoró la fuerza del impacto contra su nuca. No perdió el conocimiento, aunque quedó inmóvil.

Edna tiró los restos de la lámpara sobre la cama y se lanzó de nuevo contra el ventanal, una, dos veces, cayendo luego

66

sobre la alfombra salpicada de puntitos rojos. Antes de desmayarse, Samuel pudo escuchar el grito sofocado de su mujer cuando todo el departamento se llenaba con un ronroneo mecánico.

◇

Sin poder moverse, sin poder pensar, casi creyendo que soñaba, Rosario vio los resplandores lejanos que desaparecieron en seguida. Sus manos se paseaban por una superficie de madera áspera y sentía dolor en las piernas. La oscuridad giraba veloz en torno a ella haciéndola experimentar una placentera sensación de ligereza. Un cosquilleo le subía desde el vientre e instintivamente levantó las caderas. De la garganta le brotó un quejido. Entonces se dio cuenta de que un hombre la poseía. Quiso reconocer el rostro de Hernán, pero su mirada sólo veía una silueta enjuta en la que se adivinaba una cabeza rapada de grandes orejas. Cerró los ojos. El calor recorría su cuerpo y la llenaba por completo. El cosquilleo se volvió de pronto muy intenso y Rosario buscó la cercanía del hombre elevando aún más las caderas. Pronto el quejido se convirtió en un grito y levantó los brazos para apretar la espalda de su amante.

–Te gusta, ¿verdad, putita? –dijo una voz desconocida–. ¡Hey, cabrones! ¡Ya despertó la vieja! ¡Y le gustó el galán!

–¡Órale, pinche presumido! –gritó Lorenzo desde el Chévrolet–. ¡Acaba y vámonos a la chingada que ya va a regresar la luz!

El pánico le cayó a Rosario junto con el recuerdo de todo lo que había pasado. Abrió los ojos y en la silueta reconoció al que la sujetara del pelo desde el principio. Sus manos abandonaron la espalda del tipo y buscaron el pecho, intentando alejarlo, pero no tenía fuerza suficiente. Sacudió la cadera de un lado a otro para sacarse el miembro extraño mientras sentía que el asco estaba a punto de estallarle en el rostro. La oscuridad giraba ahora de una manera vertiginosa y Rosario se encontró de pronto vomitando besos y tequila. El remolino se iluminó. Millones de luces parpadeantes la envolvían por todos lados. Entre espasmo y espasmo, Rosario escuchó a los hombres:

—¿Ya acabaste? —preguntó Lorenzo.

—Se me hace que me echo el otro...

—¡Estás pendejo! ¡Vámonos! ¡Alguien puede vernos!

Hizo esfuerzos por sentarse después de oír que el carro se alejaba. Se limpió la cara con una mano intentando contener un nuevo acceso de vómito. Desde la caja de la camioneta, vio a través de las lágrimas el lugar por donde había rodado Hernán. Más allá, la ciudad montaba su espectáculo de figuras de neón.

◇

—Bueno, yo me retiro —dijo Mario—. El camino es largo.

—Ya le había dicho que esto no duraba —dijo el velador—. Que le vaya bien.

—Gracias por el café.

Inició la caminata loma abajo con zancadas largas gracias al descanso. En la primera oportunidad se acercó a una avenida grande, bien alumbrada, sin perros. Pensaba en la mañana siguiente, en que madrugaría para ir en busca de un mecánico, en el auto viejo que ya necesitaba cambio de máquina, en las lujosas residencias por las que había pasado, en los hermosos perros guardianes necesarios para ahuyentar a los rateros, en los rascacielos donde vivían los ricos de la ciudad. Se detuvo un momento y giró para volver a contemplar los edificios. En el más alto, tres departamentos habían encendido las luces. Los demás parecían apagados. "Qué envidia vivir ahí", se dijo, "en tranquilidad completa, sin darse cuenta siquiera de lo que ocurre aquí abajo. Mala suerte ser pobre y andar a pie."

Un Chévrolet tuerto y destartalado apareció frente a él y Mario aminoró el paso. Distinguió cuatro cabezas, una de ellas muy baja. Cuando pasaron junto a él, por la ventanilla trasera se asomó un hombre de cabeza rapada y le arrojó una botella: "¡Órale, puto!" Mario no tuvo que moverse, la botella se estrelló a varios metros de él. "Pinches borrachos", pensó y esperó a que el carro se alejara para volver a caminar.

No le importó la agresión: delante de él se estiraba la avenida curva que lo llevaría hasta el puente. Un poco más allá se hallaba su departamento. Apretó el paso mientras admiraba el excelente alumbrado que competía con la luz del sol, y hacía de la ciudad un verdadero paseo para disfrutar la noche.

Nocturno fugaz

◆

Desde afuera escuchas el estruendo de la música y adivinas el bar lleno de gente. Rock en español. Bajo, teclados, batería y guitarra a la altura del primer mundo. Fin del imperio de la cumbia y la secular canción ranchera. El humo te hiere los ojos y remedias el ardor encendiendo tu propio cigarro. El hombre con mandil de cuero te entrega una tecate y le ordenas que abra cuenta: vas para largo. Es noche de sábado y hay que vivir la libertad del Monterrey desvelado y posmoderno. Niñas por todas partes, mujeres maduras en las mesas. Los acompañantes varones no cuentan: has venido sólo por ellas. Llegaste aquí harto de las mujeres sonámbulas que saturan calles y oficinas, de amas de casa henchidas de niños y preocupaciones, de ejecutivas altaneras y madrugadoras.

La multitud eleva el calor y tu nariz se dilata cuando acuden a ella aromas de carne joven y fresca. Algunos grupos no paran de bailar. Un puñado de muchachas te envuelve con su griterío y el roce de sus cuerpos te despierta la piel. Sudas. Tomas tu cerveza y paseas a lo largo de la barra. La muchedumbre oprime. La decoración marea: fotos, sombreros, armas, caricaturas, ristras de ajo, trofeos de caza, almanaques, aparatos obsoletos. Por fin, en el fondo del bar descubres una mesa que se te ofrece increíblemente vacía.

Al cuarto trago (cambiaste la tecate por un whisky de sabor dudoso) ella hace su aparición en medio de un grupo de jóvenes. Alta, morena, delgada. Ojos de pasión. Cuerpo a la moda, según los cánones. Boca infantil, con su inseparable lunar sobre el labio. Baila del brazo de uno, luego de otro, otro más. Baila con todos y ninguno mientras la sigues con la vista a través de giros y meneos entre las mesas. Hace un momento no existía; ahora dicta las leyes del lugar. Pasa junto a ti y un espasmo te sacude al ver su rostro lleno de sudor, al escuchar su respiración entrecortada por encima de la música. Te toca y no puedes moverte. Enseguida se aleja rotando las caderas hasta confundirse con otros bailarines.

Sólo en esta ciudad se encuentran mujeres así. No aparenta más de veinte años, pero su rostro no posee la expresión indefensa o titubeante característica en las universitarias de esa edad. Trabaja. El dinero propio es lo único que puede darle esa seguridad de movimiento entre los demás. Tú también trabajas: podrían entenderse. La contemplas detenidamente con una insistencia feroz, hasta que sus ojos se vuelven hacia ti. Percibió tu llamada. Por unos instantes te imaginas un vampiro hipnotizando a su víctima. Recuerdas los ajos detrás de la barra y el aire se torna irrespirable. Ella te mira y sonríe. Deja de bailar y avanza en dirección tuya, pero se detiene junto a una mesa intermedia. Continúas observándola mientras se bebe una tecate al hilo, como si desfalleciera de sed. Las mejillas se le aprietan cuando saca la lengua para relamerse los labios. Sacude la cabeza al ritmo de la música y las venas de su cuello se hinchan. Apartas la vista deslumbrado y le pides al mesero otro whisky: tú también sientes la garganta reseca.

En otros tiempos hubiera bastado con mirarla fijamente, caminar hacia ella con paso firme, susurrarle unas palabras rozando con los labios el lóbulo de su oreja y estrecharla por la cintura para empezar a bailar. Lo demás era fácil. Pero ahora la ciudad es casi un gigante, los bares están atiborrados, la música no se presta. Además, hay cientos como tú. Solitarios nocturnos en busca de algo parecido al amor que llene su vacío. Aquí mismo: seis hombres revolotean en derredor de ella, como violadores en acecho escondidos tras una mesa llena de botellas. Ella te ha visto varias veces, y sin embargo su vista transcurre fugaz por tus ojos enrojecidos de alcohol y de madrugada.

Pasan las horas y el bar empieza a vaciarse, pero tú sigues ahí en la mesa, pidiendo whisky barato, mirándola, empeñado en que esta noche sea tu noche con ella. De nada han servido los guiños a distancia, las sonrisas de invitación, las copas que le envías y ella rechaza invariablemente. De nada sirvió pararte a saltar junto a ella en tanto cantabas con entusiasmo una pieza de rock que jamás habías oído, en un cortejo fáunico copiado no sabes a quién. Sólo consigues sonrisas ausentes que te erizan el corazón y adelgazan la sangre dentro de tus venas. Consciente de su papel de diva de una noche, ella entorna los ojos y sonríe a los cuatro vientos como si hubiera mil cámaras absorbiendo su belleza.

Monterrey es una ciudad que engendra animales nocturnos, sedientos de sangre. Lo piensas al ver la cara de los hombres que aún permanecen en el bar: los ves y crees contemplarte en un espejo. De las mujeres sólo queda una: ella. Baila sin pareja en el centro del salón. Tiene los ojos cerrados y la boca entreabierta. Como tú, todos, ahora pendientes del movimiento de su cuerpo, han sido rechazados en el transcurso de la madrugada. Todos afilan los dientes del deseo, dan largos tragos a su vaso, fuman, la miran sin parpadear. Suspiran al unísono cuando se agacha ampliando el escote, cuando balancea las caderas, cuando sus manos recorren morosamente su propia piel.

Fin de la música. Llega una calma extraña que poco a poco se rellena de susurros, toses, carraspeos, tintineos de vasos y botellas. Ella no parece darse cuenta y sigue bailando en el centro de las miradas, hasta que el disc jockey que ha bajado al fin de su púlpito rockero la enlaza por el talle. Ella lo mira con amor, con deseo, como tú y los demás la han visto todas estas horas. Lo abraza y, después de un ademán de despedida hacia la barra, salen juntos.

Silencio. Una sensación de incomodidad, de abandono, flota en el ambiente. Cruzas tu mirada con los otros hombres y bajas los ojos. Ellos hacen lo mismo. Los meseros extienden ante ustedes papeles garrapateados con signos ilegibles. Pagas el costo de la noche con un par de billetes grandes y sales a la calle.

Afuera, en la soledad, el calor es semejante al frío. Caminas hacia el auto soportando el resonar monótono de tus pies cansados. Las calles silenciosas y vacías te hacen ver a Monterrey como un enorme cementerio. En la oscuridad de un portal, una pareja se devora entre gemidos y caricias, y tú crees reconocer la pasión en esos ojos femeninos que extienden una mirada breve a tu paso. Detrás del cerro de La Silla el cielo comienza a colorearse. No sabes por qué, pero al entrar al carro sientes que es como si te dispusieras a yacer en la frialdad de una tumba estrecha y milenaria.

El último vacío

◆

Dentro del pub el ambiente es tranquilo, apacible. La música permanece suave, con tonalidades sedantes, cubriendo apenas el leve ronroneo del clima que destila frialdad detrás de los cortineros. Cuando la calma comienza a prolongarse en demasía, paseas con lentitud los dedos por la superficie pulida de la barra hasta alcanzar la cajetilla de cigarros. Tomas uno y te vuelves hacia el muchacho:

–¿Tienes lumbre?

Él asiente y busca en el bolsillo. Al aparecer la flama, la acerca al cigarro entre tus labios. Encuentras sus ojos al mismo tiempo que tus manos cubren la del muchacho, oprimiéndola un poco, para dirigirla hacia el tabaco. El contacto es inocente, cálido, pero en ti acelera el flujo de la sangre. Sabes que tus ojos poseen un extraño fulgor en este momento, una luz escondida en el fondo de las pupilas que delata la esperanza de un encuentro próximo. El rostro del muchacho, en cambio, posee una mirada de desconfianza que antes no tenía. Lo liberas y él apaga el encendedor; después baja la mano, despacio, hasta dejarla yacer sobre la barra como algo muerto. En uno de los espejos de atrás de la cava tus ojos se encuentran con los de una mujer que fuma, pero los ignoras. Todo tu interés se centra en el joven a tu lado.

–¿Otra copa?

–No, ya me voy.

–Anda, tómate otra.

–Ya es tarde... –dice a todas luces turbado mientras baja del banquillo–. Hasta luego.

No te ofrece la mano al despedirse. Aspiras profundamente el humo y lo dejas escapar en una exhalación larga. Bebes el whisky de tu vaso y, agitándolo de manera que los hielos tintineen, pides otro. Tuvo miedo, piensas. No me dio tiempo ni siquiera de conocer su nombre. Si todo iba bien, ¿qué falló? Y ahora de seguro va por la calle pensando "pinche maricón..."

Estás de nuevo solo en la barra. El cantinero coloca frente a ti un vaso corto y ancho con varios cubos de hielo entre el licor, y al tomarlo giras la cabeza para pasear la mirada por las mesas. Nada nuevo: las dos parejas que charlan en voz baja y de vez en cuando ríen con moderación, los bebedores solitarios que dejan pasar las horas jugueteando con el nudo de su corbata o estudiando las pequeñas gotas que se forman en el exterior de los vasos, la mujer que en ocasiones te mira en los espejos, y dos o tres grupos de hombres entretenidos en conversaciones monótonas. Observas tu reloj: es muy tarde para ir a otro sitio. Perdiste demasiado tiempo con el muchacho.

El bar casi no tiene movimiento. Sin embargo, lo sabes, es un sitio al que llegan muchos bebedores por la última copa de la noche. Decides esperar. Das un sorbo al whisky y de un bolsillo del saco extraes el encendedor de oro que mantuvieras oculto durante tu conversación con el muchacho. La ineficacia de esa pequeña trampa aprendida desde tu juventud te dibuja una amarga sonrisa en el rostro. ¿Cuál había sido el error? Tal vez la precipitación en la manera de mostrarte, cuando lo mejor era dejar correr más tiempo, más alcohol, más conversación: ser astuto, convincente. Quizá te estás volviendo viejo, lento, y acaso un tanto avorazado. Pero la mirada... piensas, lo trabajé primero con la mirada, y él respondía. Todo iba bien hasta que...

◇

—¿Qué estás haciendo? —pregunta el hombre al entrar a la recámara.

—Voy a salir —responde el muchacho sin disimular un tono de desafío.

—¿A estas horas?

—Sí, a estas horas... —e interrumpe sus abluciones para agregar con cinismo—: Ya deberías saberlo, esta ciudad sólo es divertida durante la noche. Fuera de eso es un asco a cualquier hora.

—Pero has salido toda la semana. Yo creí que hoy...

—Mira, no empieces —dice el muchacho mientras se anuda la corbata haciendo un gesto de fastidio—. Si quieres, puedes venir conmigo.

—No, no puedo —los ojos del hombre miran al muchacho, hay una súplica escondida en ellos—. Mañana tengo junta temprano. Y sabes que entre semana no me gusta tomar.

—No puedes tomar, ni desvelarte, ni exhibirte en público —termina de arreglarse, se pone el saco y camina hacia la puerta—. ¿Entonces qué puedes hacer? Te estás volviendo viejo y aburrido, además te portas a veces como si fueras mi esposa. No me esperes, ¿eh? Chao.

Al cerrarse la puerta, el departamento queda en completo silencio. El hombre regresa lentamente a la recámara, convencido de que algo en su vida ha comenzado a romperse.

◇

La puerta del pub se abre. No necesitas escuchar para saberlo, ni siquiera voltear, tu instinto despierto te lo dice. Unas voces llegan hasta ti, pero entre ellas reconoces una risa de mujer. No tiene caso.

Al salir del trabajo estabas seguro de que hoy sería tu día. Te lo dijo el espejo de la oficina; tu cuerpo cubierto por ese traje nuevo y bien cortado. Te lo dijo tu buen humor, una nueva vitalidad al correr por tus venas. Te lo dijeron las miradas insistentes de tu secretaria y de la jefa de relaciones públicas, quien, argumentando tener el auto en compostura, te pidió un aventón hasta su casa. Ahí te invitó a pasar a tomar una copa, pero objetaste un compromiso para librarte de ella mientras pensabas que era una suerte tener esa buena figura tan cerca de los cincuenta, trabajar por pasatiempo, gastar parte de la fortuna familiar, y no estar atado a nada ni nadie que disminuyera la libertad en que vivías.

La puerta se abre otra vez, pero ahora no escuchas voces. Te vuelves justo cuando un hombre se sienta a dos lugares de ti, en la barra. Es más o menos de tu edad, atlético y calvo. Viste un traje sport y su olor a lavanda inglesa penetra en tu nariz como un bálsamo. No lleva argolla de matrimonio. De reojo lo observas pedir un coñac: ni su voz ni sus movimientos son femeninos. Eso te gusta. Tú tampoco eres afeminado y sientes un hondo desprecio por las locas que abarrotan ciertas calles y algunas cantinas del centro, aunque en muchas ocasiones no lograras resistir la tentación de visitar esos lugares. Vuelves a ver al hombre a tu lado y esta vez encuentras en su boca el esbozo de una sonrisa. Lo miras ahora con descaro y él desvía la mirada hacia su copa. Apura el contenido de un trago y no ordena nada más. Es el momento:

—Disculpe, ¿qué hora tiene?

Ve su reloj, después te mira fijamente a los ojos y pide la cuenta antes de responderte con un tono bastante airado:

—Las cuatro.

Te quedas lleno de confusión mientras se marcha, pero de inmediato reparas en que tu reloj asoma, entero, visible, marcando la hora en tu muñeca izquierda. Lo cubres con la manga en un tardío gesto de desilusión, y vuelves a pensar en la pérdida de reflejos que te aqueja últimamente. ¿A qué se deberá?, piensas, ¿será por haber estado fuera del juego por varios años? ¿A la edad? ¿O a la desesperación por la carencia de compañía? No encuentras la respuesta, sin embargo tu incapacidad para ligar una relación está ahí, persistente, dolorosa.

◇

—¿*Cómo está eso de que tienes novia?*

—¿*Ya te enteraste?* —*la pregunta es sólo para pensar mejor la respuesta al sentirse cogido en falta*—. *Definitivamente Monterrey no deja de ser un pueblo provinciano: los chismes vuelan.*

—¿*Es cierto?* —*el rostro del hombre se convulsiona, la rabia de los celos le sacude el mentón en espasmos cortos y regulares. Finalmente dice con aire teatral*—: *No pensé que pudieras hacerme esto.*

—¿*Y qué esperabas?* —*el muchacho se yergue desafiante, despreciativo*—. ¿*Que viviera contigo para siempre como si fuéramos marido y mujer?*

El hombre se mesa los cabellos desesperado; después su actitud se distiende, la rabia parece esfumarse y el gesto le cambia hasta devenir en uno de infinita consternación. Sólo las manos no encuentran sosiego, ya van a la cabeza, ya descienden por el vientre como si intentaran calmar un dolor de estómago, ya entrelazan sus dedos con fuerza. El muchacho continúa, ahora más sereno:

—*Pensaba decírtelo antes de que te enteraras por otro lado. Yo no soy como tú, ni tampoco tengo la vida resuelta. Quiero llegar alto, y el único camino que conozco es el de siempre: ella es rica y nos vamos a casar pronto.*

—¿*Y nosotros?* —*dice el hombre en un suspiro, sintiendo que la existencia entera se cimbra con las palabras del muchacho.*

—*No te pongas trágico. La pasamos muy bien. Siempre te voy a estar agradecido por estos cinco años en que te ocupaste de mí. Además no vas a tener problemas para encontrar a alguien: nunca los has tenido.*

78

El hombre calla. Mira al suelo como buscando en él los argumentos que pudieran servir para retener al muchacho. Siente ganas de llorar, pero se contiene pues piensa que las actitudes femeninas son indignas de él. Entonces el muchacho lo toma de la mano suavemente y lo conduce a la recámara.

—Ven. Para demostrarnos que no habrá rencores, vamos a darnos una noche de despedida.

Cinco años. Cinco años deslumbrado por la presencia, por la seguridad de una pareja. Años de prescindir del vértigo nocturno de Monterrey. Cinco años felices hasta que todo se resquebrajó cuando él se fue con una mujer a buscar, te dijo, las vivencias para las que había nacido; mientras tú te quedabas solo pero aún con la convicción de que la ciudad tenía mucho que ofrecerte. Entonces anduviste de aventura en aventura, siempre con el tiempo contado, con la fugacidad de los encuentros ocasionales. Sin poder olvidar... Se fue con una mujer, repites. Y recuerdas cuando en tu adolescencia tuviste novias, e incluso te acostaste con alguna de ellas, pero sin encontrar ni la complicidad ni el compañerismo fraternal que ya desde entonces te ofrecían los hombres. Las mujeres proporcionaban compañía, pero... El recuerdo de la juventud te hace caer en un estado de nostalgia, y para alejarlo buscas la cajetilla de cigarros.

Ahora, la que creías iba a ser tu noche escurre minuto a minuto hacia un amanecer solitario y frío. El cantinero te ofrece una copa, y bebes un largo trago mientras piensas en la caída de la tarde, cuando paseabas por las calles aledañas al Tecnológico. Topaste con algunos muchachos, pero a pesar de sus miradas de interés, consideraste que aún era demasiado temprano para intentar una invitación. Después, por el rumbo de la Universidad, tuviste menos suerte: aun cuando varias jovencitas te sonreían coquetamente, esperando que las invitaras a subir contigo, los varones se vieron más interesados en la potencia que ostentaba el motor de tu auto. Sonríes al pensar en las mujeres que conoces: todas te encuentran bastante atractivo: las esposas de tus amigos pretenden ignorar tus preferencias y se pasan la vida recomendándote parejas. Tú siempre respondes: todavía no estoy preparado, aún hay mucho mundo por ver antes de amarrarme...

Un grupo de hombres jóvenes entra y das media vuelta para verlos. Pasan cerca de ti en silencio, y en tus oídos resuena el roce de sus ropas, el suave zumbido de los zapatos al raspar la alfombra. Hueles las lociones de moda en mezcla con un sudor de baile, y los ves acomodarse en una mesa del fondo. El bar se ha ido quedando vacío sin que te dieras cuenta: además de estos hombres, sólo hay algunos meseros, las dos parejas, y la mujer que bebe sola al lado de un cenicero lleno de colillas. Debiste ir antes a otro lugar. Quizá a algún bar gay del centro. Los detestas, pero ahí es más fácil conseguir pareja. Aunque de un tiempo para acá ni en ellos has tenido suerte. Será porque tu aspecto serio y varonil no combina en un lugar lleno de jóvenes locas, o porque el temor de encontrarte con conocidos y subordinados es demasiado fuerte y te llena de timidez; o acaso porque en realidad lo que buscas es a alguien permanente que te ofrezca, más que sexo, compañía y refugio. Por eso habías ido primero a esa exposición de pintura donde el clima era más propicio para la charla y el conocimiento íntimo. Ahí discutiste de arte con un grupo de corredores y artistas durante horas, y cuando casi todos se retiraron, invitaste a un pintor que sabías también homosexual a este pub a continuar la plática.

Pero el hombre se fue, argumentando que tenía que dormir temprano para aprovechar la luz de la mañana, y tú permanecías ahí solo y perplejo hasta poco después de la media noche. Aún era tiempo para cambiar de bar, pero en tanto lo pensabas apareció el joven por quien te sentiste atraído de inmediato. Te recordó a alguien, algún antiguo compañero quizá, y en él viste al salvador de tu noche, de tu soledad, de ese vacío que te taladra por dentro ahora que él también se ha ido, dejándote todavía más angustiado que antes. Los hielos se derriten en tu vaso, aclaran el escaso licor restante en él. Lo bebes y sientes una caricia suave en la garganta, luego lo depositas sobre la barra, completamente vacío. De la mesa donde se encuentran las parejas te llega una voz: piden la cuenta. Frente a ti, el cantinero levanta la botella listo para llenarte de nuevo la copa.

$$\diamond$$

Al salir de un edificio del corporativo familiar, el hombre se cubre del sol con la mano y entrecierra los ojos. Piensa que el mozo ya debería estar ahí con el auto. Mira el reloj impaciente, cuando una mano se posa leve en su hombro. Se vuelve para encontrarse con el muchacho que va acompañado de una mujer y dos niños.

—¿Cómo estás? —pregunta el muchacho con un gesto sincero de alegría.

El hombre tarda en responder, pero se apresura a reaccionar cuando ve la curiosidad en los ojos de la mujer que se acerca.

—Muy bien. ¿Y tú? Cuánto tiempo.

—Mira, te presento a mi mujer —dice el muchacho—. Éstos son mis hijos.

Ha cambiado, su rostro es más severo que antes, pero sin abandonar la alegría y la despreocupación que siempre lo caracterizaron. Ahora parece un señor. La mujer carga al niño más pequeño, y el otro se abraza a las piernas de su padre como si en él hallara una protección omnipotente. "Cuánto tiempo...", se repite el hombre en tanto saluda a la esposa del muchacho.

—Señora, a sus pies.

—*Estuvimos en México algunos años* —dice el muchacho—, *pero acabamos de volver a Monterrey. A ver cuándo te llamo para tomarnos una copa.*

—*Cuando quieras* —responde el hombre sin salir de su asombro, estudiando cuidadosamente los gestos, los movimientos del muchacho: es otro, sigue siendo igual de seguro, de inquieto, pero se nota más asentado, se ha convertido en un hombre satisfecho.

—*¿Vives en el mismo lugar?*

—*En el mismo departamento, y tengo el mismo teléfono.*

—*Bueno, gusto en verte* —se despide el muchacho—. *Te llamo un día de éstos.*

—*Hasta luego* —contesta el hombre, convencido de que nunca recibirá esa llamada.

La familia se aleja. El hombre vuelve a mirar su reloj pues el mozo no llega con su auto. Mientras el sol revienta sin parar en el pavimento y quema hasta los huesos, el hombre permanece de pie junto al edificio. Solo.

◇

—¿A qué hora cierra?

—Falta casi una hora —contesta el cantinero con aire distraído—. ¿Le sirvo otro?

—Sírvelo.

Una hora más, piensas, y estarás en camino a tu departamento. Solo. Otra vez solo. De nada te servirá tener ese auto último modelo en el que te desplazarás con rapidez por las calles desiertas. Reconocerás la inutilidad de llegar a un edificio exclusivo si en las escaleras sólo se encuentra el eco de tus pasos; al abrir la puerta, los muebles perfectamente ordenados y limpios, el piso sin mancha, revelarán la ausencia de cualquier otra persona. Y ya en tu cuarto, la luna del tocador te devolverá una figura fuerte y atractiva, joven aún, pero con un rasgo imborrable de cansancio en el rostro. Te acercarás entonces para escudriñar el fondo de tus ojos donde persistirá una terrible chispa oculta, perceptible acaso sólo para los hombres: es la revelación de tu ansiedad, tu soledad, tu homosexualidad mordiente y frustrada: la chispa que los hace alejarse de ti. Y para borrarla, para desaparecerla de tus ojos en un solo golpe, bebes de un trago la copa que languidece entre tus manos.

Ordenas otra y te sientes al fin un poco mareado, ausente. Ahora reconoces con amargura que los cincuenta años son tal vez el otro lado de la barda, y acaso los meses de aislamiento vividos desde el adiós de tu última pareja pueden prolongarse sin término: ya no eres capaz de conquistar hombres jóvenes, y los viejos no te interesan. Conoces ya la posible historia y su desenlace: es la que alimenta los melodramas y los folletines de moda. Abandono que puede arrastrar al suicidio, lo sabes, o en el mejor de los casos, al alcoholismo; o quizás a terminar como loca de esquina que se ofrece a transeúntes, choferes de taxis y peseras, con el rostro lleno de maquillaje y esos modales feminoides que representan la máxima degradación y tanto asco te causan en los que son como tú... Muy dentro de ti algo se niega a la sordidez de ese futuro y tratas de contener la desesperación atragantándote con whisky.

Toses, y el ruido violento de la tos retumba en el lugar casi vacío. Una voz clara murmura tras de ti "cuidado...", y te vuelves para encontrarte con el rostro de la mujer que bebe sola. Alguien limpió su cenicero: ahora sólo contiene dos colillas marchitas, curvas, como si las hubieran quebrado con fuerza, además de un cigarro encendido. Musitas un "gracias" y le das la espalda para pedir otro whisky. Te parece extraño ver a una mujer sola: en las últimas horas de la madrugada tú y ella son ya los únicos clientes. Enciendes otro cigarro y buscas su imagen en los espejos de la barra. La encuentras al fin en uno de los rombos y la estudias sin que lo note: es una mujer distinguida, de apariencia apacible y mirada vacía. Cuarenta años de edad. Si acaso uno o dos más joven. Cuando el cantinero se aproxima a entregarte otro vaso lleno, la sorprendes mirándote a los ojos con insistencia en el reflejo. Sólo en ese momento reparas en que una lágrima desborda uno de tus párpados.

—Es el humo... —te disculpas, aunque quizá nadie la ha notado, y la limpias con tu pañuelo.

¿El humo o la tos? ¿O es que al contemplar el rostro de la mujer descubriste en sus facciones tu misma soledad? No lo sabes. Como no alcanzas a comprender por qué aquel muchacho al que amabas te dejó por una mujer. No sabes, tampoco, el motivo por el cual das la media vuelta hacia ella, le sonríes con timidez, y sus labios te devuelven una sonrisa en la que hay una mezcla de ilusión y tristeza. Mientras caminas hacia su mesa con la decisión que te ha dado por fin una esperanza, ella levanta la cara para mirarte abiertamente y un brillo débil aparece en el centro de sus pupilas. Parece que va a decir algo cuando llegas junto a ella, pero permanece en silencio. Sólo su sonrisa se torna más amplia y las mejillas se le tiñen de un rojo vivo al escuchar las palabras que esperó toda la noche:

—¿Puedo invitarle una copa?

El pozo

◆

para Ma. Elena Ayala Vda. de Caballero,
quien me habló del pozo

¿A poco le tienes miedo a lo oscuro? Muy mal, muchacho;
se ve que estás acostumbrado a la ciudad. Aquí las noches
son largas, a veces hasta de doce horas, y con ellas te enseñas
a que lo malo es la luz, el sol, el desierto de día. Eso sí es pe-
ligroso: ciega, aturde. Te va dorando lentamente la piel, la
garganta, la lengua, hasta mediomatarte. Lo oscuro no, es
fresco, agradable, y si te impones, puedes moverte como pez
en el agua. Camina, no te me atrases. No sé por qué te pier-
des, sólo sigue la dirección de la cuerda. Yo te guío. No, no
te cansas. Mírame a mí: viejo, rengo, con las piernas chue-
cas, pero no me pierdo ni me caigo. Tú no tienes disculpa,
estás joven, con las piernas buenas. Oye eso... Parecen lobos, ¿verdad? No: son coyotes. A veces se acercan al pozo.
Levántate y sigue caminando. Ándale, así, así... Con la edad
llega un día en que ya no necesitas de la vista. Debe ser por
eso que los viejos nos vamos quedando ciegos como sin sentir: hemos mirado tantas cosas que los ojos empiezan a reto-
bar y ya no quieren ver; así es como se quejan. Y debemos
dejarlos descansar, es lo mejor. Yo no haría resistencia si
ahorita me los arrancaran. Ya cumplieron su última tarea:
verte, reconocerte... No me crees, ¿verdad? Así pienso. Estoy
seguro de que la oscuridad debería ser el elemento del
hombre. Sí, ya sé: tú no ves nada. No intentes ver, sólo ca-

mina. La gente de la ciudad cree que en la noche se propicia la violencia. Yo no. Yo me encuentro más sereno. El cerebro se aclara, se agudiza; como que facilita la concentración. Entonces puedo hacer cosas, pensar, realizar planes proyectados desde hace mucho tiempo. Y los recuerdos... vienen desde muy atrás para que los viva otra vez. Sí, estoy hecho para la oscuridad. No siempre lo supe, pero me di cuenta en el pozo. Si pudiera dormir mucho, dormiría todo el día. No te atrases, sígueme el paso. No me gusta sentir el tirón en la mano. Se me figura que no me vas oyendo. Si la cuerda no te guía, entonces sigue mi voz; para eso te platico. Es curioso: así como los viejos no necesitamos de los ojos, nos es imposible prescindir de la lengua. Nos volvemos más y más habladores con los años. No conozco ningún mudo de mi edad. Seguramente se mueren de desesperación por no poder contar todo lo que vieron. Además en este desierto hay muy pocos ruidos y a mí me gusta rellenar el silencio. Claro, tú no hablas... No te preocupes, no quiero oírte, sólo quiero que me escuches. De joven me gustaban los días luminosos, como a ti. Y dejaba la noche para las cosas que se hacen a oscuras: emborracharme, acostarme con mujeres; también, a veces, robar. Fuimos muy pobres. Me las ingeniaba para ir a la escuela, y además llevar unos pesos a mi casa. Padre no tuve; o más bien no lo conocí. Tú no sabes de eso. A ti tu papá te lo dio todo desde chamaco; y te dejó muy bien protegido al morir. En cambio yo viví una infancia dura. No me quejo, siempre luché para no quedarme ahí. Has de pensar que por lo visto me quedé, pero no es así. Si ando con la ropa jodida es porque no tengo mujer, y a un hombre no se le dan esas cosas de coser y lavar. Además, la pensión no alcanza para mucho. Durante años fui el único maestro del pueblo. Tú debes haberme confundido con un limosnero cuando me viste seguirte varios días; no, si hasta estudié Leyes allá en México. Y tampoco fui maestro siempre, pero hay cosas que nos obligan a cambiar... Como abogado me habría muerto de hambre en un pueblo como éste. Era bastante ambicioso, y en la capital todos mis compañeros terminaban de burócratas, lambiscones de políticos. Yo quería otra cosa. En esos tiempos los abogados ya no tenían tanta oportunidad para enriquecerse como a principios del gobierno revolucionario. Menos sin palancas ni amistades. No sabía qué hacer. Ahí fue cuando un compañero que había hecho la carrera conmigo, me propuso venirnos al norte a trabajar en lo del reparto de tierras... Ya te me estás atrasando otra vez. No pienses en la sed, al rato se te quita. Si hiciera sol, entonces sabrías lo que es tener sed. Nos falta poco para llegar. Camina. Si sigo estirándote, la reata te va a quemar la piel. ¿Sabes?, de joven no fui muy derecho. No me importaba robar, aunque no hubiera necesidad; ni traicionar la confianza de los que creyeron en mí, ni venderme a los que tenían el dinero para poder comprarme. Eso sí, nunca maté a nadie; no tenía motivos todavía. Robar a los campesinos fue muy fácil: son ingenuos y confiados. O al menos lo eran en aquellos tiempos; ahora ya no tanto. La vida los ha maleado y ya no se dejan. Los han jodido mucho. Sólo viviendo tantos años con ellos como yo lo he hecho puede uno darse cuenta... Mi compañero y yo hicimos mucho dinero a su costa. Perdían todos los pleitos en los que los defendíamos, y nosotros nos llenábamos las manos con lo que nos daban los caciques y latifundistas. ¡Un dineral! Lo estábamos juntando para regresar a México muy ricos a poner nuestro despacho. Pero un día, al pendejo de mi compañero se le salió la hociconeada de contarlo todo en una borrachera, ¡a una puta!... ¡Hijo de mala madre! Esa mujer era la hermana de uno de los campesinos a los que acabábamos de chingar. ¡Levántate! ¡Ya no me jodas con tu maldito cansancio y camina! ¡Camina o soy capaz de dejarte aquí para que te traguen los coyotes! Mira, ya se acabaron las piedras. Desde aquí empieza lo planito. Así es más fácil. Sígueme... Nos agarraron cuando ya íbamos de salida, en las afueras de la ranchería. El otro no se acordaba de lo dicho y yo no sabía nada. Me enteré porque nos lo dijeron a gritos entre trancazo y trancazo, entre mentada y mentada. Son duros los campesinos si se trata de venganza. Nos pusieron una madriza que yo creí que nos iban a matar a palos. Después nos subieron en dos burros, como si fuéramos cargas de leña, y por una media hora sólo vi piedras y yerbas entre las patas del animal. Al llegar a un clarito del monte nos bajaron y nos arrancaron la ropa. Uno de ellos, el que nos contrató para defenderlos, me hizo unos amarres extraños en los pulgares; luego siguió con mi compañero. Estaba tan atontado por los golpes que no entendía de qué se trataba, hasta que de pronto sentí cómo el piso desapareció bajo mis pies. Y cuando vi que ponían a remojar una reata comencé a saber lo que es de veras el dolor. En sus ojos no había odio. Eso es peor. El odio se sacia pronto, la venganza es rápida. Pero ellos tenían la mirada serena, el espíritu en calma. Necesitaban castigarnos por asunto de justicia. No sé cuánto tiempo duró la chicotiza, cuando nos descolgaron ya era de noche. Nos amarraron medio muertos al tronco de un árbol y ellos encendieron una hoguera. No parecían dispuestos a irse. Entre desmayo y desmayo y los quejidos de mi compañero, los jirones de voz que llegaban hasta mí me hicieron comprender que aún no estaban contentos, que el castigo iba a continuar al día siguiente, nomás amaneciendo... ¿Sabes lo que es el miedo, muchacho? No, qué vas a saber. Lo que sientes ahora es, si acaso, algo de temor y desconfianza. El verdadero miedo sólo te entra realmente cuando ya conociste un dolor insoportable, y tienes la certeza de que lo vas a volver a vivir. Yo lo conocí esa noche, ahí, amarrado, con todo el pellejo al revés, con todo el cuerpo en carne viva; escuchando junto a mí un llanto de dolor que se mezclaba con el mío, con los gritos de mal agüero de los tecolotes y con los truenos de una tormenta que estaba por caer. Veía las estatuas inmóviles de los campesinos en cuclillas, preparándose para dormir bajo la lluvia, mientras aprovechaban la cercanía de las brasas antes de que el agua las cegara... El miedo, cuando aumenta sin término, es como la noche, como la oscuridad: llega un momento en que te aclara, te ilumina por dentro, serena tu alma y te vuelve capaz de hacer lo que no creías posible. Fue el miedo el que me alumbró: froté la cuerda contra los nudos del tronco, contra la corteza, durante mucho tiempo, horas, mientras el otro sólo se quejaba y pedía ayuda a media voz. El agua refrescaba mis heridas pero volvía más difíciles mis intentos por romper la cuerda. Cuando a pesar de todo el amarre al fin se trozó, el aguacero hacía rato que casi no dejaba ver nada. Desaté a mi compañero y con trabajos lo arrastré unos metros hasta quedar detrás de una peña. Nadie podía vernos. Entonces corrimos bajo la lluvia, corrimos como si no tuviéramos rajada la piel desde los tobillos hasta la coronilla, tropezando con piedras y matorrales, cayendo en agujeros sin pensar en serpientes ni alimañas, levantándonos enseguida para seguir corriendo sin saber a dónde, pero sabiendo que nos alejábamos de aquel grupo de campesinos que querían vernos muertos. Corrimos hasta que paró de llover... ¡Por eso no te acepto tu cansancio! En esos años tenía más o menos tu edad, y esa noche corrí más de diez veces lo que tú y yo hemos andado hasta ahora. Ya mero llegamos, no te quejes. Mientras te sigo platicando... El sol nos encontró sangrantes, desnudos, muertos de fatiga, sin apenas darnos cuenta de que estábamos en el desierto. El otro era de acá, del norte, y dijo que si caminábamos hacia el poniente llegaríamos a una región conocida. Todavía faltaba mucho dolor... ¿Sabes lo que hace el sol con las llagas? Las abre como cáscaras de mango podrido, las reseca por fuera y las descompone por dentro, entonces la comezón se convierte en un tormento peor que los propios chicotazos. Y la arena es como cal viva en las heridas, muchacho. Para colmo, los pocos pedazos de piel sana restante, comienzan a tatemarse. ¡No sabes con qué ansias deseaba que se hiciera de noche! Ese día aborrecí al sol como a nadie. Después de caernos y levantarnos mil veces, preferimos quedarnos en el suelo dispuestos a morir, hartos de todo, del dolor, del hambre, de la sed, del miedo; hartos de la misma vida, que es lo que más pesa en esos momentos. Y ahí tirado, cubriéndome la cara con un chaparro, decidí matar al otro. ¡Él tenía la culpa de todo! Por primera vez en mi vida tuve un impulso asesino, y no pude reunir fuerzas para levantarme. Me desmayé mientras sentía cómo el sol devoraba las últimas gotas de líquido que aún quedaban en mi sangre. ¿Has estado a punto de morir? No se siente nada, sólo alivio, descanso. Te dejas llevar con la esperanza de no volver. Pero volví: me despertó el aullido de un coyote. Aunque estaba oscuro, a lo lejos descubrí la sombra de un hombre caminando trabajosamente. Me levanté como sonámbulo y caminé tras él un rato, a distancia, hasta que lo reconocí. ¡Me iba a dejar ahí el maldito! Hice lo posible por alcanzarlo y oí que decía: "Agua. Por aquí hay agua. Donde hay coyotes hay agua cerca". Y lo seguí. ¿Tienes sed? ¡Y eso que es de noche, muchacho! ¡Aquella noche sí supe lo que es la sed! Y todavía caminamos mucho, hasta que el otro me hizo una seña. ¡Era un pozo! No tenía noria, sólo unos adobes sosteniendo un palo atravesado. No sé de dónde saqué energías pero corrí hasta él. Me recibió una pestilencia insoportable, una mezcla de agua podrida y animales muertos. Comencé a llorar de desesperación a la orilla de ese pozo infecto, rogándole a Dios que ya me matara de una vez por todas. Mi compañero tosía tras de mí, conteniendo las ganas de vomitar el aire que le llenaba el estómago. Ya iba a retirarme cuando sentí el empujón. No grité. La

90

sensación de vértigo se mezclaba con el cansancio de días para hacer la caída larga, casi sin término. Abajo me esperaba un golpe terrible, un choque, como si me estrellara contra un campo de piedras, pero la frialdad del agua viscosa me impidió volver a desmayarme. Entonces, en la boca del pozo, la luz de la luna delineó la figura del otro. Se asomó un momento y luego desapareció. Yo no podía gritar, no podía hablar, el trancazo me entumió el cuerpo y el cerebro. Poco a poco reconocí sobre lo que había caído: eran ramas de árbol, huesos, y hasta pedazos de animal a medio descomponer. La peste, al principio insoportable, fue disminuyendo conforme me acostumbraba a ella. Al cabo de un rato pude beber de esa agua densa, que por la desesperación ya no encontré tan nauseabunda. ¡Hasta comí parte de la carne de un animal que llevaba muchos días de muerto! Me fui imponiendo también a los dolores, algunos sin saber por qué los tenía. Después lo supe: del golpe me rompí una pierna, me partí la nariz y me hice un tajo que me desgració la cara. Me quedó esta marca que me atraviesa del ojo a la boca, y que tanto asco te causaba cuando me veías en el pueblo. No creas, a mí tampoco me gusta verla, por eso no tengo espejos en mi casa. Lo que me gusta es pasarle los dedos: se siente lisita, lisita, como si me hubieran pulido la piel con lija fina. Y aquí, cerca del labio, alcanzo a tocarla con la lengua, paso horas lamiéndola, y me gusta tanto entonces que hasta se me figura un adorno y me enorgullezco de ella. Luego pienso en cómo se ve y la pellizco tratando de arrancármela con furia... Es inútil, sigue ahí como un mal recuerdo... A veces se veía luz afuera, y cuando volteaba de nuevo ya brillaban las estrellas. En ocasiones se oían ruidos cerca y alcanzaba a pegar unos cuantos gritos hasta que veía a algún coyote asomando la cabeza sin atreverse a saltar. Una vez llovió, de esas tormentas tan raras de por acá, y entró tanta lluvia en el pozo que creí ahogarme. Pero tomé toda el agua

limpia que pude, y me comí todas las yerbas secas y verdes
que me cayeron encima. Un día, cuando ya había perdido
las esperanzas y me resignaba con la idea de morir ahí, es-
cuché golpes afuera. Luego asomó la cabeza de un burro
que se retiró de inmediato por el hedor. Entonces por instinto grité casi sin fuerzas: "¡Auxilio! ¡Ayúdenme por favor!"
Una cabeza, que al principio vi gigantesca, hizo su aparición. Sólo cuando se quitó el sombrero redondo se redujo a
su tamaño normal, y la voz de un hombre viejo preguntó:
"¿Hay alguien?" "Sáqueme, por favor." "¿Quién es?" "Por favor..." Se tardó unos minutos que a mí se me figuraron los
últimos de mi vida, eternos. Amarró un lazo al burro y me
arrojó el otro extremo. "Amárrese", dijo, y al ir subiendo
me atacaron todos los dolores que había olvidado: mis heridas, las de la chicotiza y las de la caída, se habían infectado
y apestaban como si ya me hubiera muerto; tenía la piel tan
blanda que el lazo me abrió nuevas llagas como heridas de
cuchillo; en la cintura y las piernas el agua me ablandó hasta
los huesos, sin contar que una de ellas estaba rota en tres
partes. Por eso estoy rengo, por eso estoy tan desfigurado,
por eso nadie quiso casarse conmigo y no tengo un hijo como tú que me sostenga la vejez. Pero no te creas muchacho,
no es para amargarse. En el pozo aprendí muchas cosas, sobre todo la paciencia. ¿Sabes lo que es ser el único habitante
del mundo durante más de diez días? Tienes todo el tiempo
que quieras para conocerte, para odiarte, para controlarte,
y, finalmente, aceptarte. Te tomas cariño, ternura, te das lástima. Después lo comprobé, fueron doce días los que estuve
dentro; en esa oscuridad bendita que aprendí a apreciar, cubierto por esas paredes heladas y viscosas, erguidas cuatro
metros sobre mí para protegerme del sol. No miento si ase-
guro que también tuve ratos felices, momentos interminables de paz. Y sólo me acordaba del mundo de los hombres
para odiar: odié a los caciques por comprarme, a los campe-

sinos por su justicia despiadada y fría, al desierto, a la arena y al sol; pero sobre todo, odié al traidor que me arrojó a ese pozo para que me pudriera junto con los animales muertos, mientras él disfrutaba el dinero estafado a los agraristas. Sí, muchacho, no fue difícil adivinarlo. En los primeros lapsos de lucidez se me aclaró todo: él había vivido en la región, sabía que un poco más allá empezaban las casas, el agua no estaba lejos. La gente de por acá lo conocía, respetaban a su padre. Lo revivieron, le dieron de comer y de beber, lo mandaron a un hospital del otro lado a curarse, y pronto estuvo bueno para ir a la capital a reportar mi muerte y quedarse con el dinero. Mientras yo me revolvía para no morirme en casa del arriero... ¡Camina! Mira, es ahí, detrás de esa lomita. Ya sólo nos faltan unos pasos. ¡No te me quedes ahora después de haber andado todo el camino! La mujer del arriero era curandera, pero como su marido le entregó casi un cadáver tardó más de un año en curarme. Luego dicen que enloquecí. Y es que el día me daba miedo al principio. No aguantaba la luz y sólo salía por las noches. Poco a poco fui aprendiendo a soportarlo... Por todos lados me seguían los chamacos, se burlaban y me señalaban con el dedo: "¡Miren al loco!" "¡Ahí va el loco!" Cabrones, después supieron que sabía leer y escribir y me empezaron a respetar. Hasta se olvidaron de mi cuerpo deforme. Entonces vinieron unos importantes del pueblo a ofrecerme la escuela y me hice maestro. ¿Sabes lo que es un maestro en un pueblo muerto de hambre? Ganas poco, pero todo el mundo te respeta; en las fiestas tienes un lugar de honor junto al jefe político y al sacerdote; puedes escoger casa. Yo he vivido siempre en ese jacalito, en las afueras. Es fresco; sobre todo muy oscuro. Ahí pasé los últimos cuarenta años, solo, pensativo, como si todavía siguiera en el pozo; resintiendo la ausencia de mujer, de hijos; odiando y esperando al traidor porque estaba seguro que algún día iba a volver. Ahí, frente a la plaza, seguía en pie la casa de su padre, abandonada pero maciza, firme, a la espera del regreso de su dueño. ¡Levántate! ¡No puedo arrastrarte! Así, sólo unos pasos más... Pasaban los años y al pueblo llegaban muy pocas noticias; rumores, mejor dicho: que el otro era un abogado importante en la ciudad de México, que un empresario muy rico, que puras mujeres hermosas, que por fin se casaba, que ya tenía un heredero... Y yo aquí en este rincón del desierto, rumiando una venganza cada vez menos probable mientras enfermaba de envidia a cada rumor nuevo. Más tarde supe que había muerto, y también yo sentí morir. Pero era demasiado el odio y mucha la envidia como para desperdiciarlos. Y continué la espera... Mira, ahí está el pozo, ¡igualito!, sin noria, con los mismos adobes, solitario... Si antes nadie pasaba por aquí, ahora menos: en cuarenta años el desierto se ha ido ensanchando. ¿No sientes la pestilencia? ¡Que te levantes! ¿Ya entiendes, verdad muchacho? ¡Cómo pesas! Dicen que es malo tenerle odio o envidia a los muertos. Por eso no me quedó más remedio que perdonarlo. Y dirigí mi odio a otro que sí vendría... Ahora sí se te ve el verdadero miedo, muchacho. No te preocupes, nunca he matado a nadie... Fueron muchos años, pero valió la pena esperar. No te arrastres, de nada sirve. Ya sé que tú no tuviste ninguna culpa. Piénsalo bien: tampoco yo la tenía. Además, si tienes suerte, el día menos pensado cualquier arriero escucha tus gritos...

Cómo se pasa la vida

◆

Ese camión viene mal. Lo supo desde que vio las luces bambolearse de un lado a otro en la carretera. Puede chocar. Seguramente el chofer estaba cansado, o quizá dormido. Sin embargo, esos pensamientos ausentes aún no lo obligaban a descifrar la cara de la realidad. Seguía absorto en su letargo de costumbre, manejando como autómata. Sin ver, sin pensar, sin escuchar siquiera la conversación vacía del gerente que había pasado del futbol a los problemas que causan los hijos en la adolescencia, y de ahí a criticar el trabajo de sus compañeros del banco. Alberto contestaba con afirmaciones y negativas sin fijarse en lo que el otro preguntaba, mientras oía muy dentro de su cerebro la llamada de alerta que no alcanzaba a comprender: ese camión viene mal. Aviso interno, tal vez emanado de un adormecido instinto de conservación, que la abulia y la fatiga ensordecían casi por completo, mientras sus pensamientos aburridos sólo repetían las palabras del gerente hasta lograr entenderlas. Puras idioteces. ¿Por qué siempre los jefes torturaban a los empleados con ese tipo de conversaciones estúpidas?

Lo adivinó un segundo antes de que sucediera, cuando ya era imposible evitarlo. El choque con el tráiler fue violentísimo, y por momentos no pudo pensar nada: sólo sintió un vértigo en el que todo daba vueltas mientras una extraña anestesia le entraba en los sentidos hasta desaparecerlos. Después, minutos o quizás horas después, poco a poco la conciencia que empieza a despertar le trae lo sucedido a la memoria. Recuerda el estrépito de las llantas quemándose en el pavimento y su pie oprimiendo desesperadamente el

95

freno; el tráiler que frente a sus ojos, con una lentitud insoportable, dio un salto y luego una media vuelta hasta invadir transversalmente todo el ancho del camino, avanzando hacia él entre un incendio de chispas; el ¡cuidado, Alberto! del gerente aferrado al tablero con pies y manos, que sonó como un grito lejano; y la mentada de madre que le brotó desde muy adentro del pecho, como si fuera la última de su vida, justo antes de clavarse con el auto en ese vientre de aluminio en medio de un desastre de vidrios, llantas reventadas y fierros retorcidos que se confunde, ahora, con las voces y los pasos de la gente que se aproxima.

Recuerda también que escuchó un gemido largo de dolor a su lado en el momento del golpe, y con el único brazo que puede extender busca en el asiento contrario el cuerpo del gerente, pero su mano sólo encuentra pedazos de vidrio y algunos trozos de metal donde antes estaba el asiento. Seguramente salió botado del auto con el choque; o saltó antes. Ahora recuerda que oyó abrirse la puerta antes de alcanzar al tráiler. ¿Y yo? Tal vez ni siquiera esté en la posición en que venía. Acaso esté atrapado en el asiento de atrás. Para comprobarlo intenta tantear el volante pero tampoco lo encuentra. Sólo entonces se da cuenta de que no puede ver nada, de que no puede moverse. Es como estar amortajado entre láminas, tela y la borra que rellenaba los asientos. ¿Por qué tenía que pasarme esto a mí?

Treinta y ocho años. Y veinte de trabajar en el mismo banco; en la misma sucursal. Había abandonado la preparatoria por no tener recursos para seguir estudiando. "No tenemos dinero, papá", había justificado cuando le comunicó al obrero rudo que era su padre la decisión tomada, y éste contestó: "por huevón, por eso te sales, no te hagas pendejo. Pero desde ahorita te pones a trabajar y te me reportas cada quincena con la mitad de la raya". Y Alberto hizo entonces solicitud en todos los bancos de la ciudad porque había oído que era la mejor carrera para alguien sin estudios, y porque veía cómo los empleados andaban siempre de traje, o ya de perdida de corbata, y yo quería andar elegante como ellos y poder comprar un carro poco a poco y un condominio para cuando me case y tenga hijos. Pero tuvo que aguantar primero un trabajo de aprendiz de mecánico, porque se habían tardado muchos meses en llamarlo después de hacerle una serie de pruebas que halló dificilísimas.

Se toca: lenta, torpemente, la cara y lo que puede del cuerpo con la mano libre tratando de reconocerse. Encuentra: un líquido caliente, viscoso, que lo baña desde el cabello hasta la cintura. Huele: es sangre, sangre mezclada con algo de aroma más intenso. Comprende: se rompió el tanque; una chispa y todo al carajo. Reconoce: es más sangre que gasolina. Lo sabe: porque el olor penetrante le llega desde lejos y, en cambio, el caracol baboso de la sangre se le embarra por toda la piel, encharcándose en los ojos. Duda: o en las cuencas de los ojos; tal vez están vacías y de ahí mana la sangre. Siente: miedo, miedo de llevar la mano hasta ahí y comprobarlo, estoy ciego, me arranqué los ojos con el choque. Piensa sin aliento: y hasta ahora, ¿para qué han servido? Para nada. Se evade al fin en el recuerdo: quizá sus ojos sólo habían tenido la utilidad de admirar el cuerpo de la cajera principal, que no es tan guapa pero tiene un par de nalgas de primera clase. Para verla solamente. Como antes, cuando al fin entró a trabajar al banco y en las horas muertas contemplaba en silencio a una morena trabajando en una caja al lado de la suya. Al poco tiempo supo que su nombre era Rosalba. Era tan joven y tan retraída como él, así que pasó más de un año antes de que lograran hacer amistad, y otros dos hasta que Alberto se decidiera a invitarla a salir. Visitaban cines, cafés y neverías casi sin cruzar palabra y se despedían al anochecer en alguna parada de autobús mientras los días se iban sin que entre ellos pasara nada. No fue sino hasta que cumplió cinco años en el banco y recibió su primer ascenso, cuando Alberto acumuló valor y deseo para pedirle a Rosalba que fuera su novia.

Desde muy lejos oye el grito interminable de las ambulancias acercándose cada vez más, y con eso recuerda que detrás de él venía otro coche que seguramente se halla destruido detrás del suyo. Reconoce entonces que había estado escuchando cerca de él un rumor doloroso que se le confundía con ruidos más lejanos, como de lluvia o viento. Mueve un poco la cabeza, esperanzado en sentir algo de dolor para probarse que sigue vivo, y la sangre que le escurre como un gusano lento por el cuello parece demostrarlo. Extrañamente no se alegra: sigue sin poder moverse y no siente del cuerpo más que el cuello, la cabeza y un brazo. ¿A dónde se fue el gerente? Quizás esté fuera del tráiler y pueda moverse. O en alguna de las ambulancias recibiendo auxilio. Intenta tocarse las rodillas, pero una lámina se interpone entre su mano libre y el lugar donde deben estar, impidiendo el contacto. En ese momento las sirenas dejan de entonar su canto de malos augurios y Alberto retoma una pregunta: ¿Y Rosalba?

Era verdad que ella nunca le había despertado una pasión definida. Ni siquiera ternura suficiente como para justificar un matrimonio. Pero nada que recordara en su vida lo había apasionado, y por lo menos Rosalba no le disgustaba. Decidió iniciar el noviazgo pensando que era necesario para un hombre joven tener una novia para compartir con alguien su vida, y Rosalba tenía la ventaja de no ser fea, ni gorda, ni flaca; y sí una mujer sumisa y de su casa, además de poseer un trasero firme, rotundo, que se hinchaba y apretaba al ritmo de sus pasos. Los besos y caricias que daban consistencia a su relación siempre fueron secos, fugaces, como los de dos desconocidos, hasta que un día, al anochecer –Alberto nunca supo cómo ni por qué–, se encontraron haciendo el amor sobre el césped húmedo de un parque, protegidos por unos matorrales. Continuaron haciéndolo en hoteles baratos como una rutina más de su noviazgo, mientras los años transcurrían constantes y grises detrás de sus máquinas sumadoras en el banco. Un día Alberto pensó que el desenlace lógico de un noviazgo era el matrimonio y, después de comentarlo con Rosalba, juntos empezaron a planear la boda. Él se vio obligado a retirar su apoyo económico a la familia para comenzar a reunir unos ahorros, pero contrario a lo que esperaba, sus gastos aumentaron pues tuvo que dejar la casa a instancias de su padre: "Yo no mantengo huevones; si no das nada, te largas". Rosalba no podía eludir la manutención de su madre, y la boda fue aplazada indefinidamente.

La voz de un hombre se oye muy cerca dando órdenes con acento sereno y firme, y una multitud de ruidos lo arrancan de sí mismo. De pronto adivina mucha actividad a su alrededor, como si la vida sólo existiera del otro lado de los fierros retorcidos que lo mantienen preso. El sonido inconfundible de unas cadenas; después, rechinar y crujir de metales que se quejan al ser restirados; por último, el estrépito del mundo que se rompe en medio de terremotos y erupciones volcánicas, seguido de gritos, gemidos de horror, y un huracán de aire puro y frío que se le introduce con violencia por nariz y boca. Alberto comprende que han quitado el otro auto que lo había sepultado en el mundo subterráneo de la caja del tráiler. Sin embargo, aún sigue amortajado, inmóvil, ciego. Oye un crujido más cerca, y las palabras sin aliento de un hombre: "No creo que haya sobrevivientes en este carro". Debo estar muerto, piensa tranquilamente. ¿Cómo había ocurrido? "Yo lo vi todo, señor policía: de segurito el chofer del tráiler se durmió, porque perdió el control y se fue contra el acotamiento, y cuando quiso revirar, el tráiler pegó un brinco y se volteó; se atravesó todito y el

Datsun ese se metió en la caja; venía muy rápido y no alcanzó a frenar; ya ve cómo casi lo traspasa de lado a lado; y detrás llegó el Mústang con la pareja esa a rematarlo. Pobre del que venía ahí, ha de haber quedado deshecho." Y repasar en su memoria con voz ajena lo que había vivido, sumió a Alberto en un agradable sopor muy parecido al descanso.

Ya ni siquiera sabe cuánto tiempo pasaron en aquella situación. Sólo recuerda cómo fue notando el surgir de pequeñas arrugas alrededor de los ojos de Rosalba, los senos perdiendo poco a poco la firmeza y la turgencia de los primeros años, la piel de la cara resecándose por el uso del maquillaje, la flacidez en la cintura cada vez más ancha, y la grasa desparramada a borbotones en esas nalgas que habían dejado todo su atractivo en la silla de su caja. Tampoco recuerda cuándo apareció el sesentón viudo, uno de los mejores clientes de la sucursal, que andaba en busca de una mujer modesta no muy joven, pero tampoco tan vieja como para no poder hacer de ella una buena amante, y se casó con Rosalba en una boda rápida que celebraron todos en el banco y a la que Alberto no fue invitado. ¿Cuántos años hace de eso? ¿Cuatro? ¿Cinco? No lo sabe. Pero no sintió pesar; más bien una especie de alivio. Al poco tiempo fue ascendido a ayudante de contador, en un ascenso que sólo significó un poco más de dinero, mucho trabajo y salir a las siete en lugar de a las cuatro, con lo que tuvo que abandonar su costumbre de ir al cine por las tardes a ver películas de vaqueros y romances melancólicos. Mas pudo volver a ayudar a su padre y ahorró lo suficiente para dar el enganche de este carro que acaba de destruir.

Los ruidos son cada vez más cercanos. Reconoce el rechinar acompasado de los gatos hidráulicos, el rugir de los motores de las grúas, otra vez el tintineo de las cadenas y las voces que se esfuerzan en sacar su cuerpo al exterior. De cuando en cuando siente que ese ataúd mecánico se estremece con pesados movimientos de ballena, pero sigue sin arrancar ninguna sensación a su cuerpo. No intenta comprender lo que dicen las voces que en ocasiones gritan y otras hablan como en murmullos. Se encuentra tranquilo en la inmovilidad, repasando como en un sueño su biografía. Desde que Rosalba lo abandonó –¿o él la había abandonado?–, vivió sin presiones de ningún tipo: cumplía con su trabajo, compró una televisión en la que veía todas las series americanas de detectives, y cuando el sueño se le espantaba, él ahuyentaba el insomnio leyendo alguna novela de Marcial Lafuente Estefanía. Los únicos acontecimientos especiales que llegaban a turbar su tranquilidad eran la visita que hacía una vez al mes a alguna prostituta para no olvidarse de que continuaba siendo hombre, y los ratos durante las mañanas y las tardes en los que se entretenía viendo el trasero de alguna secretaria. Tal vez, si hubiera tenido tiempo, algún día habría invitado a una de ellas a tomar un café o al cine. Aunque seguramente me pasaría lo mismo que con Rosalba: también seríamos novios, haríamos el amor dos veces por semana, querría casarse, y su cuerpo iría haciéndose flácido y fofo año con año.

"Pobre cuate, mano, está destrozado", una voz se había acercado lo suficiente como para penetrar su refugio. Destrozado... ¿y qué importa? Déjenme en paz... Piensa que falta poco para que lo carguen y lo pongan en otro ataúd, quizás este sí de madera, y adentro arrojen las piernas y el brazo que no siente, para que esté completo en el momento de echarle una tonelada de tierra encima. Ojalá sea pronto... ahí descansará de todos esos ruidos y movimientos que lo rodean; "está bañado en sangre, mano: tiene cercenada la yugular".

Destrozado... degollado... ¿cómo me veré? Repulsivo seguramente: sin ojos, sin brazo, sin piernas y con un tajo asqueroso que no siento rebanando mi cuello... "¡Espérense! ¡Son dos!" Y Alberto piensa en el gerente que su mano libre no pudo encontrar. ¿Cómo habrá quedado él? ¿También despedazado? Y no puede pensar más porque siente cómo dos manos se aferran a su cabeza como fórceps, y lo acomodan y lo aprietan jalándolo hacia afuera, y siente también cómo su envoltura de borra, tela y láminas lo oprime y se contrae para expulsarlo, y cómo otras manos lo agarran de la espalda y de los cabellos haciéndolo maldecir de dolor, y lo arrastran hasta donde el aire limpio acaricia su rostro.

Un intenso cosquilleo se apodera entonces de su cuerpo, lentamente, empezando por las plantas de los pies, sube por las rodillas temblorosas, se acomoda en las ingles. Y siente manos tocándolo, palpándole la columna vertebral hasta la nuca. Limpiándole la sangre y la suciedad de las piernas que han regresado a su lugar, de los brazos que ya no faltan, de la cara con una gasa suave que le regresa los ojos redondos y firmes en sus dos cuencas. "Tienes suerte, mano, suerte de estar vivo. No como tu compañero. Él quedó destrozado. Estaba justo arribita de ti, ensartado en un montón de fierros. Mira nomás cómo te bañó de sangre." Alberto abre los ojos de párpados entumecidos y entre nubes que se borran despacio contempla el accidente. Está sentado sobre una camilla enmedio de los mirones y los socorristas, entre el ajetreo de los policías. Los faroles de las ambulancias y de las patrullas giran opacados por la luz del sol de la mañana. Alberto se toca todo el cuerpo y estira las dos piernas. Sólo tiene algunos rasguños.

Su vista se dirige hacia el tráiler, separado de él por sólo unos cuantos metros. Ahí está el agujero en la caja de aluminio de donde lo acaban de sacar, iluminado ahora por la luz matutina. Alberto cree ver entre sus aristas filosas, enredados y sangrantes, algunos de los jirones de su existencia. Y lo mira con melancolía, con nostalgia, mientras oye la voz de un socorrista: para ti sólo fue un susto, deveras que tienes suerte; volviste a nacer. Suerte..., piensa, y voltea hacia el socorrista devolviéndole una mirada llena de amargura.

El cazador

◆

para Julián Herbert

No se dejó confundir por la cumbia histérica que reventaba las bocinas, ni por la suciedad filtrada en las luces de colores; tampoco por los obreros en brama que alzaban sus tecates hacia la pista, donde una mulata gigante blandía los senos en abierto desafío a las miradas de lujuria. El peso de la atmósfera se colaba en remolinos por su nariz. A cerveza era el aroma dominante, luego tabaco, más allá humor de cuerpos sudados. Sin embargo, bajo esa mezcla espesa distinguió resabios del tufillo a adrenalina, a bestia acorralada, que despiden los perseguidos y queda flotando horas en los sitios por donde pasan: el rastro que buscaba. Entonces no tuvo dudas. Esperó a que la cumbia concluyera, y cuando el chillar de trompetas y güiro fue sustituido por un murmullo de voces pidiendo cerveza, cerró los ojos para percibir hasta los rumores más tenues atrapados en el salón. Levantó los párpados mientras comenzaba a sonreír, satisfecho, certidumbre en mano, y se dirigió a la barra, a sentarse donde su instinto aseguraba que el otro había vaciado tres vasos de ron.

Los primeros acordes de la siguiente pieza enmarcaron el retorno de la mulata; pero él no se volvió hacia la pista, saboreaba el triunfo, la deducción: saber cuánto tiempo había permanecido ahí el otro. Después de eso, comprobar que no se había equivocado de antro, que no erraba el sitio en la barra, mediante el examen de los ceniceros repletos, ya no fue necesario. Ahí estarían, sepultados en ceniza, los

103

restos de esos cigarros de maple, iguales a los que él guardaba en el bolsillo; los filtros aplastados, comprimidos a la mitad de su longitud, evidencia de un nerviosismo permanente.

Un hombre somnoliento retiró el cenicero de su vista en tanto movía los labios frente a él produciendo una mueca que se le antojó grotesca. El estruendo de la música, reforzado ahora con una oleada de gritos por la desnudez total de la mujer en la pista, obligó al cantinero a repetir la pregunta: "¿Qué le sirvo?" Vio el vaso abandonado por el otro a unos centímetros de su mano izquierda, y ya no necesitó olerlo para responder con palabras mordidas, en un español rudimentario: "Añejo y agua". El cantinero dio media vuelta y él hizo lo mismo hasta quedar de frente al espectáculo.

La mulata se arrastraba por la pista, levantando el trasero hacia la caricia tibia de un haz rojo. En círculos, la luz siguió por unos segundos los movimientos de las nalgas ante la euforia de los hombres que prácticamente caían sobre ellas, sobándolas, apresando los tobillos, babeando la piel más cercana. La mujer giró y abrió las piernas: la vulva encarnada apuntó directo a la barra, y él supo entonces que ella no podía ser. Recorrió el salón con la vista: las demás mujeres se encontraban fichando. No le dio importancia; era sólo cuestión de un rato. Había encontrado el lugar: la mujer cruzaría ante sus ojos en cualquier momento. Cuando el cantinero volvió con su vaso, lo tomó y se dispuso a esperar pacientemente.

...nadie se atreve a negarme el paso: sería fácil entrar a su oficina cualquier tarde para evitar la presencia de ella y plantármele enfrente, ya estando ahí no podría echarme, lo conozco: los senti-

mientos siempre han mandado en él; le diría ayúdame, tengo miedo, estaba borracho, los celos me llevaron; él conoce de mujeres y lo comprenderá; o mejor perdóname, yo sé que puedes hacerlo, también sufres porque soy tu único hijo; y primero sus gritos, indignado, qué haces aquí, delincuente, cómo te atreves a venir, chacal, malnacido; pero después del desahogo, las lágrimas en los ojos, la protección de sus brazos que todo lo pueden: ven, hijo, vamos a pensar cómo resolvemos juntos el problema, de qué tienes miedo, todo fue muy lejos, en otro país; y abrirme ante él como cuando niño: siento que me siguen, esos gringos pasaron la denuncia a este lado, a la judicial de seguro, dicen que hay recompensa, y él ya, ya, tranquilito, pero prométeme que desde ahora vas a andar derecho, nada de putas ni malas compañías; y enseguida el teléfono, las llamadas al procurador, al comandante, a los abogados: y sí, ya ven, fue una estupidez, es todavía muy muchacho, sí, conozco la gravedad del asunto, pero al fin y al cabo se trata de un gringo, yo me hago responsable, ya saben, nada de molestarlo a él o a su madre, todo se arregla conmigo, pasen a verme cuando quieran, los estaré esperando; y salir de su oficina más sereno, recoger mis cosas en el hotel y regresar a casa donde mi madre qué bueno que ya estás aquí, pero vienes muy trasijado, anda, vamos a la cocina para que comas algo; y volver a los amigos de antes y fingir, sobre todo fingir como lo he hecho las últimas semanas, intentando creer yo mismo que la muerte de un hombre no hace mella en su asesino cuando éste no quiso matarlo, continuar la vida como si nada hubiera pasado, soportar la falsa admiración de los demás, esa admiración que se mezcla con un temor no tan oculto, aceptar con sonrisas fingidas los "habrás tenido tus razones", los "estoy contigo, hiciste muy bien, lástima que te hayas equivocado", los "yo hubiera hecho lo mismo", y todos esos saludos, esos abrazos fugaces que desaparecerán al menor murmullo de persecución, de búsqueda policiaca, de venganza familiar; acaso podría soportar eso, pero qué hacer con las amenazas veladas, con los "cuídate, te andan buscando", con los irónicos "¿ya tan tranquilo?", y con la famosa noticia que todo Ciudad

Juárez conoce: "¿ya sabes que te pusieron un precio muy tentador?"; cómo soportarlo, cómo volver a fingir que no estoy enfermo de miedo, cómo aparentar indiferencia, entereza, valentía, si ni siquiera puedo dormir a causa de la respiración fantasmal que sopla tras mi nuca y me pone delante de los ojos la sangre del muerto salpicándome como chorros de ácido, disolviendo mi cuerpo hasta convertirme en esa sustancia viscosa que dejo tras de mí, que excreto y embarro en lugares y cuerpos, que se huele a distancia, se siente en la cercanía, provoca el respeto de los hombres y parece excitar a las mujeres: existe, quizá no lo ha notado nadie, pero existe: como si las balas con las que maté al gringo de alguna manera me hubiesen penetrado también, y por los agujeros invisibles me brotara eso: el rastro que me ha hecho entender la vida como un ridículo juego de espejos donde se mata y se muere en un mismo acto: desde el momento en que disparé contra ese hombre, he venido muriendo con cada paso que de noche y en soledad escucho a mi espalda, con el miedo que día a día me gana la voluntad y la existencia, resbala por mi piel y se filtra a los huesos con un temblor igual a los estertores de la muerte; me mata ese espectro que respira y pisa duro tras de mí, persiguiéndome por algo que nunca quise hacer, siempre muy cerca, lo siento, no desistirá, no dejará de zapatear detrás mientras me escurra este rastro; y aunque vaya con mi padre, me plante enfrente de él y le pida que mueva todos sus hilos e influencias, no detendrá a mi perseguidor: no podrá apartar de mí este miedo, lo sé...

Adentro, como si el salón estuviera construido de material refractario, el bochorno se volvía aplastante a ratos. El cantinero se acercó a ofrecerle otra bebida, y él la pidió con más hielo, en tanto bajaba el cierre de la chaqueta sin llegar a quitársela, pues en su cintura se clavaba el revólver. Era algo demencial el clima. Fuera del salón, la humedad pegajosa de la nieve y un persistente viento helado que parecía terco en congelar las calles de la ciudad, no le habían permitido evitar el temblor de los huesos ni por un segundo. Sin embargo ahora sentía arder las mejillas. De entre su ropa emergía el vapor de sus propios humores, y la garganta se le resecaba cada vez más. No podía creer que afuera aún imperaba un frío del diablo, pero la gente seguía entrando enredada en gorras, bufandas y abrigos. Lo mejor era continuar bebiendo, sin moverse de ahí, hasta la madrugada.

El cantinero le puso enfrente otro vaso de ron, y al tomarlo sintió un bálsamo fresco resbalar por su garganta. Después se untó el vaso en mejillas y frente, hasta que el frío volvió a refugiarse debajo de su piel. La mulata pasó entonces a su lado, cubriéndose a medias los pechos con un sostén de lentejuelas, y sólo cuando se alejó envuelta en una estela de perfume grosero, él advirtió que no había nadie en la pista. Ninguna cumbia ensordecía el lugar.

Siguió con la mirada las caderas de la bailarina a través del humo de cientos de cigarros. La vio sentarse con unos jóvenes que vestían de la misma manera que los chicanos de San Diego y Los Ángeles: camisa de franela a cuadros varias tallas más grandes de lo necesario, pantalón negro, zapatos de charol; dos de ellos cubrían su cabello envaselinado con una red de tejido fino. Tomaban cerveza y reían escandalosamente. Vino a su memoria la leyenda escrita a la entrada de casi todos los cabarets de la avenida Juárez: *No cholos.* Quizá en la puerta de este lugar no colgaba ningún cartel. Le molestó no recordarlo con exactitud: era de novatos no registrar detalles como ése.

Dos fanales blancos alumbraron al frente y un hombre con traje de mesero y micrófono en mano saltó a la pista: *Buenasbuenasbuenas nooooches a todos mis compas de Juaritos y municipios circuncidados que acaban de ingresar al paraíso de este su exclusivísimo Saloooón Cristaaaal el número que tenemos preparado para ustedes a continuación estará a cargo de una belleza una*

verdadera beldad una vedette de primerísima categoría una hermo-
sura de muchachita recién desempacada de la Metrópoli de Occi-
dente de la capital del mariachi de la perlísima Guadalajarajalisco
sólo para el deleite de quienes nos acompañan agotando sus bolsillos
en nuestro surtido bar respetable público con ustedes ¡Jazmín! los de-
jo con ella y ya saben mis compas a seguir pidiendo o lo que es lo
mismo ¡a la de chúpale pichón porque la casa pierde! con ustedes
¡Jazmín! ¡Música maestro!

Mientras el presentador bajaba, por detrás de la pista apareció una mujer muy joven. De inmediato comenzó a moverse al ritmo de un danzón desteñido. Luces amarillas lamieron
su cuerpo apenas cubierto por un bikini, y en su rostro se
reflejaron retazos de un pudor adolescente. No se acercaba
a los hombres, tampoco adoptaba poses que provocaran el
entusiasmo de la multitud. Una mujer tan tímida no podía
ser la que buscaba, pensó él mientras continuaba observando a los cholos. Había varios grupos por el resto de las
mesas, pero eran pocos. Los que llegaban iban cubiertos por
una larga gabardina negra; algunos traían lentes oscuros.

Esos letreros prohibiéndoles la entrada a cantinas y salo-
nes de baile, habían sido lo primero que llamara su atención tras cruzar la frontera para iniciar la búsqueda en las
calles de Tijuana. Los vio también en Mexicali; ahora en Juárez. Se volvieron cotidianos mientras intentaba ubicar la
pista que lo llevara hasta el otro, del que sólo conocía el
nombre. Un cartel como ésos había estado a la entrada del ca-
baret en la avenida Revolución donde supo identificar el
primer rastro. Y después, cuando fue aprendiendo a distinguir del otro cada uno de sus pasos, gustos, vicios, luego de
caminar por donde el otro caminaba, esperar donde se dete-
nía, beber varios tragos en el sitio en que el otro se había
emborrachado, acostarse con las mismas putas, siempre con
todos los sentidos pegados a su silueta huidiza, hasta lograr
el dibujo pleno de su rostro en la imaginación, cincelando

cada una de las facciones, grabándose en la memoria el nombre de quienes lo conocían y conociéndolos a su vez para así deducir cómo pensaba, de qué hablaba, hacia dónde iría. Ahora sabía quién era Joel Villaseñor. Había estudiado todos sus movimientos, sus intenciones, con quién contaba, su destino, siempre desde un paso atrás. No lo había visto, pero estaba seguro de que muy pronto lo reconocería.

Cuando, al sonar la segunda pieza, la muchachita de la pista enloqueció a los hombres quitándose el sostén, con el rostro inyectado de vergüenza, él ordenó otro añejo con agua y mucho hielo para poder contemplarla a gusto.

–¿Que mataste a un gabacho? –pregunta Neri.

No responde. Estira el cuello de su chamarra y sube de un tirón el cierre hasta cubrirse la boca, luego se hunde la tejana hasta las orejas. El frío arrecia en la calle y empiezan a caer las primeras plumas de nieve. Algunas personas caminan de prisa, como si por medio del esfuerzo quisieran extraer el calor escondido en el fondo de las venas. Joel mira pensativo el puente internacional, donde, a pesar del bárbaro clima, algunos muchachillos esperan a los peatones para ayudarlos a cargar sus bultos a cambio de unas monedas. Sus ojos no pierden la expresión de lejanía al escuchar la siguiente pregunta:

–¿Y por qué te lo echaste?

Ahora sí se vuelve hacia Neri mientras baja el cuello de la chamarra para encender un cigarro. Aspira y exhala el humo de maple, que es barrido de inmediato por un chiflón húmedo. Su tono es de indiferencia.

–Fue por culpa de una vieja.

–Esas arrastradas. Sobre todo las gringas. Siempre es lo mismo... –Neri elude la mirada de Joel, que por un instante se torna furiosa; enseguida lo toma del brazo y, cuando ambos inician la caminata, continúa–: Entonces tuviste razón, compa. Además, como decía mi abuelo, matar a un gabacho es el único crimen que se le puede perdonar a un mexicano, por donde quiera que lo veas. Eso decía.

–El mío también.

–¿Te busca la ley?

–La mexicana no.

–¿Y los gringos?

–Parece...

Joel avanza contemplando atentamente la ciudad, escudriñando cada rincón, cada pliegue de la avenida Juárez, como si fuera un turista que la transitara por primera vez. A la puerta de las "Mexican curios" los empleados se frotan las manos para calentarse, mientras esperan algún improbable cliente. Los fotógrafos, con su caballo de madera y su sombrero de charro, parecen a punto de marcharse, y sin embargo no se mueven del chaparro banco en que descansan, enredados en sarapes hasta la mitad de la cabeza. Los ojos de Joel se clavan retadores en todos los rostros; sus pasos son ágiles, nerviosos.

–No me digas que andas chiviado por aquello del "precio a tu cabeza".

–N'ombre. Tú sabes que el viejo las puede. Ya está todo arreglado. Hay orden de que en cuanto aparezca algún gringo preguntando algo, los judiciales lo apañen.

–¿Entonces ya viste a tu jefe?

–Ajá. Ayer, en su oficina.

–¿Cuándo llegaste?

–Hace unos días –contesta Joel y enciende otro cigarro.

Había entrado a Juárez por el lado americano, después de una peregrinación de más de un mes por varias ciudades fronterizas. Al cruzar el puente halló una ciudad que de pronto le pareció desconocida, a pesar de haber vivido en ella sus treinta años de existencia. Cantinas, cabarets y comercios de artesanías proyectaban colores nuevos, más opacos; y la nieve sucia a medio derretir en calles y banquetas no compaginaba con los recuerdos de apenas seis meses antes.

Rentó por una semana un cuarto en un hotel para vagabundos, centroamericanos ilegales y negros fugitivos del otro lado. En el billar de junto, desde el primer día se topó con conocidos, y supo que la noticia del crimen lo había precedido por varias semanas. Tardó en adaptarse nuevamente a Ciudad Juárez. Sólo al volver a recorrer los antros de la calle Mariscal había reencontrado ese sabor violento y subterráneo que poseen las ciudades fronterizas.

–¿Y dónde te estás quedando, compa? –Neri rompe el silencio antes de destapar la primera cerveza.

–En el Sevilla.

–No jodas. ¿Cómo ahí? ¿No que habías ido a ver a tu jefe?

–Sí, pero no me soltó billetes.

–¿Y tu jefa?

–Todavía no la veo. Pa qué quieres.

El bar se encuentra vacío. Joel llama al mesero y ordena botana y un ron añejo con agua. Su actitud ahora es totalmente serena. Se reclina en el respaldo de la silla y saca los cigarros, pero sólo los coloca encima de la mesa.

–¿Y has visto a la raza?

–No, a nadie.

–¿Entonces? ¿Con quién te estás juntando?

–Con los cholos.

–¿Ya fuiste al Cristal?

–¿Tú qué crees?

–Ahí trabaja tu bailarina todavía, ¿no?

Joel sonríe y se yergue en la silla como si quisiera estirarse por encima de su amigo. Toma un cigarro, juega con él entre los dedos, enseguida lo pone enmedio de sus labios sin encender. No habla, sólo mira a Neri mientras continúa sonriendo, consciente de la envidia que despierta en él.

–¿La estás viendo, verdad, cabrón? –insiste Neri.

–Todos los días –contesta al fin.

◇

A continuación mis estimables y respetables compas que viven o visitan esta tierra paradisiaca orgullosa entre otras cosas de haber servido de cuna para el único el más grande el original Juanga estrella internacional del espectáculo que tiene muchos imitadores pero que ninguno le llega ni en lo joto ni en lo cantante ahora les decía tenemos la presencia de una gran artista y vedette de la inigualable bailarina exótica que llegó hace poco más de un año a engalanar la pista de su exclusivo Salón Cristal desde la internacionalmente conocida metrópoli de Casas Grandes con ustedes la bellísima ¡Úrsula! ¡Sigan tomando mis amigos! El cantinero balanceó un vaso frente a sus ojos y él alargó la mano. Sorbió el sabor suave del ron rebajado con agua, mientras conjeturaba si era posible que el otro se hubiera llevado a la mujer a algún cuarto de hotel, y por ello no habría podido identificarla. Sería un rompimiento en las costumbres que mostraba desde tantos días atrás: como cliente habitual del burdel, acostumbraba a visitar a las prostitutas en los cuartos de la casa.

Apenas había probado del nuevo vaso cuando algo dentro del salón lo hizo ponerse en guardia. La mujer estaba presente, lo sentía en la atmósfera con claridad. Recorrió con la mirada mesa por mesa, aun las del fondo, poco visibles desde su sitio. Miró dos veces después de ubicar a cada una de las ficheras, las que esperaban turno para bailar y desnudarse, las que permanecían cerca de la puerta conversando con los cholos recién llegados, y ya comenzaba a dudar de sus habilidades como rastreador cuando reparó en la pista: la mujer bailaba al compás de una samba, con gracia y energía, dando a sus movimientos una intensidad que tenía mucho de artística, como si se tratara de una bailarina de escuela. Baja de estatura, no muy guapa, tampoco poseía un cuerpo ostentoso o agresivo como el de la mulata. Era la que buscaba. Úrsula, había dicho el anunciador. Por fin la paciencia le otorgaba el primer trofeo.

Algo tenía ese cuerpo menudo que los hombres sabían distinguir. Por eso, cuando al sonar la segunda pieza ella se deshizo del sostén, la multitud se abalanzó en una oleada uniforme hacia esos pechos pequeños, de pezones diminutos e increíblemente colorados. Úrsula los contenía con ademanes suaves, caminando coqueta unos pasos hacia atrás. Ahora la música se alargaba en compases sensuales, y Úrsula ondulaba el cuerpo moviendo sus estrechas caderas en todas direcciones. Acuencó las manos sobre sus pechos y los hombres callaron. Se acercó a las primeras mesas, esta vez apretándose los senos, levantándolos en un mudo ofrecimiento que tomó por sorpresa a los hombres. Al principio no supieron qué hacer, y cuando reaccionaron alargando las manos o la boca, Úrsula ya regresaba al centro de la pista, sonriente, un tanto burlona, a continuar su baile lejos de ellos.

Tan absorto se encontraba en la contemplación de ese cuerpo de gimnasta, que por un instante creyó que la música desaparecía por completo, y la mujer danzaba enmedio de un coro de sátiros cornudos, deidad lujuriosa en antigua ceremonia pagana. El cantinero se acercó entonces para romper la ilusión y él le tendió el vaso sin apartar la vista del frente. Encendió un cigarro. Sudaba. Su corazón latía como si se repusiera de un susto. El baile terminó sin que Úrsula bajara de la pista, y aprovechó la interrupción para serenarse fumando.

No fue muy larga la pausa entre pieza y pieza, pero él consumió todo el cigarro. Encendió otro. Tomó el nuevo vaso que el cantinero había dejado en la barra y bebió dos tragos. Por alguna razón el encargado de la música puso el Bolero de Ravel en lugar de una cumbia. Úrsula inició sus movimientos ante los rostros atentos y callados de los hombres. Hasta las mujeres, las demás bailarinas, la observaban respetuosamente, admiradas, bebiéndose cada uno de sus pasos. La expectación corría de una a otra parte del auditorio. El ambiente se respiraba tenso, cargado, eléctrico. Él y todos en el lugar esperaban de un momento a otro la caída de la última prenda de Úrsula. La supieron inminente cuando ella dio la espalda al público. En el salón sólo se escuchaban los compases del bolero. Ella se agachó casi tocándose las espinillas con la frente y bajó de un golpe las bragas hasta los tobillos. En ese momento los hombres se levantaron de las sillas enmedio de un griterío, y obstruyeron la visión entre la barra y la pista. Estirándose, haciéndose a los lados en busca de un mejor ángulo, él pudo ver cómo la bailarina danzaba de un extremo a otro de la pista, se dejaba acariciar pechos y nalgas, sonreía a todos por igual. De pronto tomó dos botes de una de las mesas y dejó escurrir por su cuerpo el líquido espumoso. Su piel brillaba de cerveza y sudor. Del vello púbico parecía brotarle espuma. Por las piernas le escurrían chorros ambarinos que los hombres lamían sumisos tirados en el suelo. Cuando la música se agotó, Úrsula tuvo que abandonar la pista corriendo, esquivando con agilidad las manos ansiosas que deseaban tocar unos segundos más su piel.

Quedó paralizado. Ni siquiera escuchó al merolico anunciar a la siguiente desnudista. Impreso en su mente, el cuerpo de Úrsula bañado en cerveza le entrecortaba la respiración. Así tuvo que sucederle a Joel Villaseñor. Estaba convencido. El otro no había podido resistirse a esa imagen. Seguramente había corrido a buscar dinero o a empeñar su reloj para poder comprarse a esa mujer, costara lo que costara. Y ahora, esa noche, de un momento a otro llegaría a encontrarse con ella. Pero sería inútil: Úrsula se marcharía con otro antes de que él apareciera. No era hembra para dejar de pensar en ella. Era para llevársela antes que nadie a un hotel, bañarla de cerveza y lamerle todos los poros, todas las sinuosidades, todos los huecos. Al carajo Joel Villaseñor. Al carajo la recompensa recibida y el compromiso. Eso podía esperar un día más, o dos, o los que fueran. El deseo por Úrsula no. Para eso aún traía en la cartera un puñado de dólares. Se fue con un gringo, le dirían. Sería la primera victoria sobre el perseguido. Después, atraparlo; pero después.

Úrsula salió de los camerinos situados en alguna parte detrás de la pista. Iba vestida con una sudadera y un pantalón de franela. Parecía otra. Se acercó a la barra, a un metro de él, y pidió algo al cantinero. Después volteó a verlo. Le sonrió. Él la tomó del brazo y la jaló hacia el banco vacío al lado suyo. Al traer el cantinero las dos bebidas, ella ya había ido a buscar su abrigo.

...ni Úrsula ha podido calmarme, hasta cuando estoy con ella lo siento cerca; antes de subir al cuarto reviso el salón, las mesas, los pasillos: puros cholos; luego las escaleras: sólo mujeres subiendo o bajando o sentadas a un lado del barandal; el cuarto, el baño, bajo la cama, detrás de las cortinas: nada; ella se ríe porque no entiende, piensa que son celos, pero no: es miedo, es angustia; sé que me persigue aunque no lo vea, lo huelo, viene tras de mí; a veces creo que hasta Úrsula huele a él, en su cuello percibo ese olor a fiera en acecho, respingo y se me eriza la piel, la contemplo largamente para ver si encuentro algo, para ver si su rostro de mujer caliente me revela el rostro de mi perseguidor; ella se carcajea, se burla de lo que me pasa, no seas celoso, no puedo ser sólo para ti, si huelo a hombre es porque soy puta y hago mi trabajo, pero nada más a ti te quiero, mi

amor; yo le contesto no es eso, no entiendes, y después me quedo callado, no voy a decirle que me persiguen, que me pusieron cola los gabachos esos, los padres del que maté, se burlaría más, se decepcionaría de ser la amante de un cobarde que ni siquiera sabe en verdad a qué le tiene miedo; el viejo asegura que se trata de mis nervios, ya no estés tan alterado, hijo, ¿quién puede venir a buscarte hasta Ciudad Juárez?, todo pasó muy lejos y ahora estás en tu casa, lo que debes hacer es quedarte encerrado, o salir lo menos posible, desde aquí esperamos a que todo termine de enfriarse; ¿pero cómo quedarme en la casa sin ver a Úrsula? ¿sin intentar distraerme hundiéndome en su cuerpo?, si no fuera por esa presencia muda e invisible, por ese olor que me sorprende en los sitios más inesperados; quizá tenga razón el viejo y lo único que me persigue son los remordimientos... matar a un hombre... no es cualquier cosa: es la puerta de entrada al reino del puro miedo; este sentir pasos que se acercan, que caminan junto a uno y en ocasiones hasta se adelantan es cosa del diablo, esa presencia que juega conmigo, se mueve para rodearme, me acorrala, tiene mucho de infernal; sí, es el diablo... o soy yo mismo, una parte de mí que se desprendió aquel día y ahora me anda siguiendo para volverse a juntar, no sé, ya no sé ni lo que pienso, ni lo que siento, ni lo que creo, todo está confuso: mi vida, mi mujer, esta ciudad, mi presente y mi pasado; en ocasiones creo que nada sucedió, hay días en que quisiera encontrarme al gringo otra vez vivo para pedirle perdón, perdóname, te juro que no quise matarte, no eras tú, por favor, ya libérame, ¿qué tengo que hacer para que todo quede olvidado?, ya hasta recurrí al sacerdote de mi infancia, padre, el diablo me atormenta porque maté a un hombre; me absolvió, me perdonó en nombre de Dios, se ofreció él mismo a cargar mi culpa, pero no lo ha cumplido, o quizá se equivocó de culpa y tomó otra, no ésta, no la que me sigue pesando; tengo que volverlo a ver y decirle padre, usted se ofreció, alívieme del crimen que cometí, yo sé que sólo cargándoselo a otro voy a poder descansar y estar tranquilo; ni siquiera el regreso a casa me ha servido, mamá no sabe nada y ahí todo transcurre normalmente, pero su inocencia

116

me hiere; en el hotel por lo menos todos éramos culpables de algo, pero en casa soy el único que muere de remordimientos, de culpabilidad, de miedo; y los pasos, casi podría jurar que también se escuchan por el patio, por la calle de enfrente; el olor se esparce en toda la colonia y el aire vibra de una manera peculiar; el viento aúlla, las nubes forman rostros iluminados por la luna; el mundo parece empeñado en recordarme esa noche, mi perseguidor vuelve a proyectarla una y otra vez en mi mente, el miedo no me permite olvidarla...

◇

La parranda había durado los ocho días que Joel pasó sin ver a María Elena. En compañía de varios amigos, anduvo rancho tras rancho, en un viaje salpicado de carreras de caballos, rodeos, competencias de tiro, peleas de gallos, borracheras y comilonas. Cuando supo que estaba bastante lejos del pueblo, decidió regresar.

La carretera se extendía recta, monótona, y después de casi un día de camino el alcohol se le había evaporado en las venas, pero persistía el aturdimiento. El sol de la tarde terminó por embotarlo, al tiempo que la arena del desierto de Nuevo México colmaba su piel bajo la ropa. Se sentía sucio, crudo y cansado, pero decidió ir a ver a María Elena antes de llegar a bañarse en la casa de sus tíos.

A la entrada del pueblo se detuvo en la gasolinera. Verificó la hora en su reloj: nueve cuarenta. María Elena debía aún estar despierta, aunque seguramente ya no lo esperaba esa noche. Las calles anchas se abrían ante él solas por completo: las primeras ráfagas de un invierno que se anunciaba crudísimo habían vencido al calor del sol vespertino, y ahuyentaban a la gente hacia el cobijo casero. Sólo algunos jóvenes aparecían de vez en cuando cruzando una esquina o subiendo a un auto. Joel sonrió al encontrar el pueblo dormido a hora tan temprana, y pensó que en las ciudades del norte los bares estarían reventando de parroquianos. Luego recordó Ciudad Juárez: a esa hora apenas empezaba la vida en las calles del centro, aun a pesar del frío, y por las aceras podían verse nutridos grupos de noctámbulos al acecho de las mujeres semidesnudas que salían a vivir la noche. Sintió una punzada de nostalgia. Hacía varios meses que estaba fuera de su ciudad natal. Pasaría una temporada corta al lado de su novia, y más tarde iría a ver cómo marchaban las cosas en la frontera.

La siguiente parada la hizo en el supermercado. Compró cigarros y una cerveza. Probablemente María Elena tendría que cambiarse de ropa para salir a recibirlo, y mejor tener en que entretenerse mientras tanto. Desde el momento de dar vuelta en la esquina divisó la casa. La última de la calle. Más allá, el pavimento desaparecía, dando paso a una brecha terregosa que desembocaba en una carretera estatal. A los lados todo era monte desértico. Afuera de casa de María Elena se distinguían varias siluetas y Joel disminuyó la velocidad. Los padres de la muchacha nunca recibían visitas; ella muy raras veces. Avanzó un poco más y detuvo la camioneta. Quería estar seguro de quiénes eran esas gentes.

A pesar de la distancia y de la semioscuridad reconoció pronto a los que permanecían sentados en la banqueta: se reunían en las afueras del Centro Cívico a beber cerveza cerca de la media noche. Los conocía bien: el grupo nunca cambiaba de integrantes. Cuatro de ellos tenían clara ascendencia mexicana, dos gringos puros, y los capitaneaba un tijuanense al que Joel no sabía por qué apodaban "el Gabacho".

Rápido se le aclaró todo: el Gabacho pretendía a María Elena desde antes de que él apareciera en su vida, y ahora había aprovechado esa semana de ausencia para volver al asedio. Aun cuando Joel estaba en el pueblo, María Elena recibía constantemente tarjetas y cartas amorosas escritas por el tipo. Joel lo había amenazado y varias veces estuvieron a un paso de llegar a los golpes, pero el otro nunca dio muestras de amedrentarse. Si hubieran estado sus amigos en el pueblo, Joel habría ido a buscarlos rápidamente, pero ellos continuaban la parranda a cientos de millas de ahí. Pese a eso, sintió que era el momento de cumplirle las amenazas al Gabacho.

Se trataba de un grupo débil, que ni siquiera podría llamarse "pandilla", en el que sólo el líder rebasaba los veinte años, más bien conocidos como pacíficos y hasta un tanto cobardes. Pero no dejaban de ser siete contra uno. Joel abrió la guantera y extrajo una pequeña pistola automática, no mayor que su mano. Detrás del asiento traía además un rifle calibre .22 que usaba para cazar liebres, pero pensó que luciría ridículo bajándose de la troca armado como un guerrero. Guardó la pistola en el bolsillo de su chaqueta, cerró cuidadosamente el botón para que no se saliera de ahí, y arrancó la camioneta. El motor rugió, las llantas chillaron en el pavimento levantando un poco de grava suelta y, a medida que se acercaba, la luz de sus faros iluminó seis rostros cada vez más sorprendidos. Frenó y las llantas volvieron a chillar. Joel bajó de un salto de la camioneta y se enfrentó a los muchachos.

—¡Qué hacen aquí, hijos de la chingada! ¿Dónde está María Elena?

Los otros no respondieron, ni siquiera atinaban a ponerse de pie. Sólo miraban a Joel con expresión entre de duda y susto. Entonces se dio cuenta de que el Gabacho no se encontraba entre ellos. Abrió la verja y de tres zancadas caminó el sendero que conducía a la casa. Golpeó la puerta fuerte, varias veces, y cuando ya una luz se encendía en el interior, por un costado de la casa aparecieron María Elena y el otro. Se mostraban sorprendidos, agitados. Joel descubrió el miedo en los ojos de su novia, al mismo tiempo en que reparaba en su cabello revuelto, lleno de fragmentos de hojas secas; la camisa entreabierta y manoseada, la falda descompuesta, y la boca con los labios hinchados, exageradamente roja.

—Joel... —dijo ella—. ¡No creas...!

La calló de una bofetada en el momento en que el padre de María Elena asomaba en el umbral.

Luego todo se confundió en su mente: los insultos del anciano, los lloriqueos histéricos de María Elena, los golpes estampados en el rostro del Gabacho, los recibidos en su propio cuerpo, los gritos y las amenazas de los demás. De pronto, cuando el Gabacho ya no se defendía y Joel lo pateaba sin descanso, los otros se lo arrebataron para sacarlo de la casa.

Joel se vio a sí mismo parado enmedio del sendero entre la puerta y la verja de entrada, furioso, solo, sin nadie al alcance a quien golpear. María Elena lloraba en brazos de su padre, que seguía insultando a Joel. Desde la calle, el Gabacho y sus amigos lo miraban como si fuera una bestia enfurecida. El Gabacho sacó la fuerza que le quedaba intacta y gritó escupiendo sangre:

—¡Te vas a arrepentir, cabrón! ¡Te juro que aquí no para esto!

Joel se cimbraba de pies a cabeza. No podía apartar de la mente los labios hinchados de María Elena. Vio las manos del Gabacho, y enseguida las imaginó acariciándola, buscando con ansia los senos desnudos por debajo de la blusa, estrujándole las nalgas para apretarla más a él. Volteó a verla. Ahora su madre también la consolaba, mientras ella gemía contemplando la escena. Joel no supo si dijo, o tan sólo lo pensó, "pinche vieja puta". Cuando cruzó la verja y alcanzó la calle, ya le había quitado el seguro a la pistola.

—¡Este bato está loco! —gritó uno de los muchachos.

—¡Corre, Gabacho! —urgió otro.

Habían corrido unos cuantos metros al sonar el primer disparo. En la huida los siete cuerpos se entrelazaban, como si estuvieran escenificando una danza indígena, elaborada, ritual. De reojo, Joel percibió que algunas luces se encendieron en las casas del barrio. Los cuerpos se confundían en la penumbra, pero él tenía bien localizado su blanco. En esos momentos sólo veía al Gabacho. Disparó por segunda vez; por tercera y escuchó el eco de unos gritos a los lados de la calle. El Gabacho continuaba encarrerado, alejándose cada vez más. Otro disparo, y otro. Joel vació el cargador y siguió apretando el gatillo sin apartar la mira del Gabacho que no dejó nunca de correr.

–La próxima sí te mato, hijo de la chingada –dijo.

Pero cuando el grupo de corredores desapareció en la primera esquina, una sombra se hizo presente enmedio de la calle. Joel avanzó unos pasos y pudo distinguir el bulto de un hombre caído sobre el pavimento. Las náuseas llegaron junto con una carga que presionaba corvas y tobillos. Se mesó los cabellos. Caminando con dificultad, como embriagado, se acercó hasta reconocer a uno de los gringos. Tenía abierta la frente de un balazo y sangre en el estómago. La muerte le acentuaba la juventud. Guardaba una posición fetal, como si durmiera presa del frío. Con el miedo por primera vez dueño de su cuerpo y de su mente, Joel soltó la pistola junto al cadáver.

–En la madre... –murmuró.

Estuvo a punto de caer a un lado del muerto, pero los gritos histéricos de una anciana que lo acusaban de asesino lo instalaron de lleno en su nueva realidad. Corrió tambaleándose hacia la camioneta y creyó escuchar que alguien corría tras él. Antes de subir vio a María Elena quien, ahora sola, desde una ventana lo miraba con los ojos muy abiertos, muda, restregándose con una mano la mejilla donde había recibido la bofetada. Joel miró a todos lados y subió a la camioneta. Hacia el frente, el camino de terracería lo invitaba a sumergirse en el desierto. Cuando giró la llave, supo que la tranquilidad de su vida había comenzado a desgajarse...

◇

–...estúpido... Eso de andar de pueblo en pueblo, de ciudad en ciudad, por una tierra que no es la tuya... –dice Joel pensativo, como si hablara solo, con la mirada fija en la fotografía de una rubia desnuda que cuelga de la pared–. Estúpido y ridículo.

–¿Y de qué viviste todo este tiempo?

Se encuentran junto a una mesa de billar, manteniendo un juego que han interrumpido en varias ocasiones para ordenar tragos en la barra, y que parece eternizarse en las horas muertas de la tarde. Neri empuja desganadamente el taco por la horquilla formada entre sus dedos y una bola de color azul rueda lenta hacia la esquina; cae en la buchaca.

–¿De qué crees? Primero le vendí el rifle a un negro en las afueras de Tucson. Pero esa lana nomás me alcanzó para llegar a Los Ángeles. Ahí tuve que vender la troca, pero me quedé unos días.

–Le hubieras hablado a tu jefe.

–Qué fácil, ¿no? –Joel da un largo trago a su ron, luego continúa–: Oye, viejo, mándame unos dólares porque me acabo de tronar a un gabacho y me urge pelarme al otro lado... ¿Estás pendejo, Neri, o qué?

Neri yerra el tiro. Joel bosteza, unta de tiza la punta de su taco y se inclina sobre el paño con expresión de estudiar el juego. En ese momento un resplandor tenue inunda de amarillo el bar y las partículas de polvo brillan suspendidas en el aire. Joel se equivoca de bola y golpea una de las de Neri. Murmura una maldición y se incorpora molesto, mirando hacia la entrada, donde la puerta apenas se cierra como un dique para obstruir el flujo de luz invernal. El que acaba de entrar es un negro fornido que de inmediato se acomoda en uno de los bancos de la barra. Aparte de él sólo hay dos desconocidos en el bar: un chicano y un hombre con aspecto de vagabundo.

—No le hubieras dicho de qué se trataba —dice Neri, pasando por alto la interrupción.

—Lo que pasa es que ya para cuando se me acabó el dinero se había regado la sopa por todos lados. Creo que hasta aquí en Juárez la noticia tenía varios días circulando.

—¿Y ahora, qué te dice?

—No menciona el asunto. Para él es algo terminado.

—¿Y para ti?

—También —Joel enciende un cigarro—. Vas tú.

Neri tira y hunde otra bola en una de las buchacas. Se prepara para volver a tirar, cuando el negro se acerca a la mesa sin hacer ruido sobre unos zapatos con suela de goma. Joel retrocede dos pasos. Neri se yergue, y también se aparta de la mesa. Los dos clavan la mirada en el bolsillo de la gabardina del negro, donde permanece oculta su mano. Cuando hace el ademán de sacarla, Joel aferra el taco por la parte más delgada, a manera de bate, pero entre los dedos del extraño sólo relumbra la redondez niquelada de un cuarto de dólar. El negro deja la moneda sobre una de las barandas, justo arriba de la ranura tragamonedas de la mesa, y dice una frase en inglés que ninguno de los dos alcanza a escuchar. Luego vuelve a la barra.

—Estás nervioso... —comenta Neri al advertir la tensión en el rostro de su amigo—. ¿Quién creíste que era?

—Nadie... —Joel aspira el humo de su cigarro—. Es que se veía muy decidido el cabrón.

—¿Decidido a qué?

—No sé... como que quería bronca. Pensé que iba a sacar un filero, o algo así.

—Pues a mí se me hace que creíste que era un policía gringo, o un cazador, alguien mandado por la familia. Y no un pobre cabrón que venía a pedir una reta.

—Ssshh. Cállate. Está volteando para acá.

El negro los contempla desde su lugar en la barra, con una sonrisa idiota en el rostro. Sin embargo ambos advierten un destello de dureza en su mirada, y una de las manos de nuevo oculta en el bolsillo de la gabardina. La mano libre sostiene una bohemia. Sus pies están perfectamente posados en el suelo, como si estuviera dispuesto a saltar sobre Joel y Neri en cualquier instante.

—¿Y qué importa que esté volteando? Si ni siquiera entiende lo que decimos el güey...

—Mejor ahí le paramos. Ya no quiero jugar. Y mucho menos echarme la reta con el negro ese.

Antes de retirarse, Joel recoge la moneda. Al pasar junto a la barra la deja frente al negro y éste voltea a verlo un tanto extrañado, pero sin borrar la sonrisa de su rostro. Neri paga el consumo y espera a Joel en la puerta. Afuera el sol brilla débil sobre un pavimento cubierto con la nieve que se niega a derretirse. Casi no sopla el aire, pero la calle le arranca a Joel un escalofrío cargado de presentimientos. Hay poca gente en las aceras.

—¿Y ahora?

—Voy a la casa un rato. Pero nos vemos en la noche, ¿no?

—¿En el Cristal?

—Ajá.

—Te veo ahí a eso de las once.

Durante esas semanas, días interminables de rastreo a través de callejuelas y pensamientos, olores y burdeles, bares y siluetas nocturnas, hoteles baratos y cuerpos de mujer, recordaría constantemente aquellas dos jornadas transcurridas en el pueblo.

Supo del crimen y el ofrecimiento gracias a los informes

124

de un antiguo compañero de academia, encargado ahora de las investigaciones de trámite iniciadas por la oficina del sheriff. La cifra ofrecida, en caso de hallar al asesino, le removió todos los recuerdos de cuando renunciara a la policía de Albuquerque: como independiente es imposible hacer nada –le habían advertido los veteranos–, se cuentan por cientos los cazadores que andan por ahí, recorriendo el país, muriéndose de hambre. Y tenían razón. Pero aunque la cifra era ridícula, decidió que nada perdía con ir a echar un vistazo. Lo impulsaba la curiosidad; el asesinato tenía rasgos tanto de pleito entre pandillas, como de crimen pasional, conflicto entre razas, hasta de venganza alevosa y premeditada.

Tras los primeros sondeos se enteró de que el muerto había sido un muchacho pacífico, sin antecedentes, hijo único de un matrimonio de ancianos, granjeros pobres que se habían cansado de exigir al sheriff la captura del asesino mexicano. Supo más tarde que estaban dispuestos a deshacerse de su propiedad con tal de obtener justicia, y un sentimiento antiguo que él identificó con la compasión le hirió los intestinos. Hasta ese momento su carrera como independiente se había reducido al rastreo de mujeres adúlteras y deudores morosos; ahora se trataba de verdadera justicia.

Nunca olvidaría los rostros enrojecidos, los ojos húmedos, las palabras llenas de agradecimiento y esperanza del par de ancianos al anunciarles que él encontraría al asesino de su hijo. La imagen de esa escena, donde él había representado un papel a la vez digno y comprometedor, permanecería fija en su memoria hasta estar cara a cara con la presa. Lo conmovió aún más la candidez del viejo, acaso consecuencia de su desesperación, cuando le entregó los cinco mil dólares en billetes sucios y arrugados sin exigirle credenciales ni recomendaciones. Comprendió entonces que, quizá por primera vez en su vida, el empeño de la palabra adquiría más valor que el dinero.

Cinco mil dólares, sin gastos. En otras circunstancias esa cantidad hubiera sido únicamente el anticipo, pero se negó a dejar en la calle a una pareja de viejos destrozados por la muerte de su único hijo. Sólo cinco mil dólares, se repetiría diariamente, al rentar un cuarto de hotel en Tucson, al pagar la cuenta en algún bar del este de Los Ángeles, al comerse un par de hamburguesas en San Diego. Un puñado de billetes que se reducía cada vez más, mientras él olfateaba el aire de las calles, escudriñando las siluetas en los rincones de algún burdel, imaginando al mexicano detrás de la puerta de un cuarto en hoteles de mala muerte, siempre confiado en el instinto más que en la deducción, en sus corazonadas más que en las pistas, en su capacidad mimética de creador inconsciente.

Al cruzar la frontera por primera vez sintió que el peso de todo un país se le venía encima, brutal, desconcertante. Reconoció entonces la propia realidad de toda su vida. México era como él, por eso se perfilaba como su destino, su meta; ahora lo comprendía. Así lo había comprendido, muchos años atrás, su mujer mexicana. Ella había insistido siempre en esa confrontación, en ese viaje al sur de la línea, al país de las maravillas, del caos, de la pobreza, pero su muerte a los pocos meses de la boda acabó por truncar todos los planes. Ahora realizaba el viaje como parte de una comisión de justicia, viudo, solitario, dispuesto a sumergirse en ese espejo que se le abría como hembra caliente.

Mientras caminaba fascinado por las calles de Tijuana, recordó que había tenido una sensación similar al conocer a María Elena: sintió que la deseaba tanto como sólo la habrían podido desear Joel Villaseñor y el Gabacho, tanto como él mismo había deseado a su esposa. Cuando la interrogó sobre los hechos la encontró nerviosa, insegura, incómoda por su presencia. A una pregunta sobre los hábitos del otro, María Elena había clavado la mirada en su cajetilla de cigarros, para luego responder, con cierto desprecio: "Fuma de los mismos".

Dos días permaneció en el pueblo y conoció todo lo que tenía que conocer del hombre que perseguiría. Aprendió que la única manera posible de encontrarlo era empalmando su personalidad a la de él hasta confundirse, hasta reconocerse en Joel Villaseñor. Sólo así sería capaz de identificar el hueco dejado por la silueta de la presa entre la multitud, entre la parafernalia demente de las calles mexicanas, entre las otras siluetas que abarrotan los antros, tal como un rastreador experto identifica la huella de un pie entre la hierba arrasado por una estampida.

Cuando entró a Ciudad Juárez todos los sentidos le avisaron que había llegado a su destino. Le quedaba dinero tan sólo para unos cuantos días, pero se sentía seguro de cumplir la promesa hecha a los ancianos. Además estaba tan empapado de México que ya no podía vivir en ninguna otra parte. Cumpliría su promesa y se quedaría. Las palabras pronunciadas por el viejo granjero al poner en su mano los cinco mil dólares, y que habían resonado durante semanas en su mente, pronto callarían: "Tráigalo para que lo ejecuten. O mátelo usted allá".

Había decidido matarlo: en México no podían vivir dos hombres tan semejantes.

...cada vez es mayor esta trepidación de pasos, este jadeo, estas exhalaciones de aire caliente... cada vez es más clara esta sensación tras de mí; sin embargo ha cambiado: al principio era pesada, densa, como un cuerpo yerto a la espalda; ahora es tenue, angustiante, como si el vacío se hubiera instalado dentro de mí, en el pecho, en el estómago, en la cabeza, y amenazara con estallar... estallar: salir expulsado de mí mismo, en pedazos sangrantes, en jirones, por toda

la ciudad; partes diminutas, como si me hubiera disuelto; molécu-
las pequeñísimas que ni aun mi padre podría encontrar... mi padre,
sí, que no entiende nada y sólo ordena, regaña, acusa, ¿otra vez
quejándote de lo mismo, Joel?, ya te dije que todo está arreglado, no
te va a pasar nada, sólo esto me faltaba, que además de criminal
me resultaras cobarde, ¡levántate!, sal de la casa, ¡dale la cara al
mundo!, no quiero que estés aquí, vete a la calle donde te vean... la
calle... no, la calle está invadida, es peligrosa: la calle la ocupa el
muerto, o sus enviados, o el demonio de la muerte que ha decidido
torturarme en vida... esto es el infierno... la muerte vivida día a
día, recordada en cada despertar, en cada acto, en cada sueño que
se trueca en pesadilla... sí, el infierno; y contra él todo es inútil, imposible; ni Dios ni el sacerdote, ni mi padre con todo su dinero y su
poder, ni la inocencia de mi madre, ni el alcohol ni los besos ni el
cuerpo de Úrsula han podido arrancarme de este remolino que juega conmigo como si fuera un papel... lo veo en todos los lugares; los
rostros de los desconocidos en la calle son máscaras: debajo están las
facciones verdaderas, las que vigilan, las que acusan... si veo en
mis amigos algún gesto nuevo, una simple mueca, una sonrisa fuera de tiempo o sorprendida de reojo, ésta se convierte en un índice
que me señala entre los demás... hasta las caricias de Úrsula y ese
nuevo olor del que se ha impregnado su piel me anuncian la presencia vigilante que no me pierde la pista ni un segundo... me
conoce, me siente, está ahí... los gritos en la noche, y mi madre cán-
dida, llevándome a la cama un vaso de agua y alguna pastilla y
sus consejos repetidos desde que era niño, ya sabes, hijito, que no debes de cenar tanto, y sobre todo en esos lugares que acostumbras, por
eso luego te dan pesadillas, yo no entiendo a los jóvenes, cómo si tienen su casa andan siempre malcomiendo en lugares tan insalubres,
¿era muy feo lo que soñabas?, y yo no te preocupes, mamá, ya hasta
lo olvidé, creo que fue una sombra en la ventana, vete a dormir...
cómo decirle que era la cara del muerto pendiendo sobre la cama, cómo asustarla a ella también contándole de la enorme figura detrás
de ese rostro, lista para saltar sobre mí y tomar mi vida en pago por

la del gabacho; no lo entendería, su mundo no es para monstruosi-
dades... tampoco entenderá lo que sucede el día que le traigan a su
hijo con varios agujeros de bala, sin vida... así tendrá que terminar
todo, así me lo gritan a la cara estos fantasmas que me acompañan
a cada momento; claman y exigen justicia, repitiéndome la senten-
cia antigua del ojo por ojo, diente por diente, vida por vida, porque
así debe ser la justicia si existe: todo ha de dar vuelta en tiempo y
espacio, y repetirse para que queden saldadas las cuentas... sí, se
acerca el instante: me lo avisó la muerte cuando, desde dentro de
mí, me hizo un guiño a través del espejo; era como yo mismo, y sin
embargo diferente: la muerte escondida debajo de mi pellejo... se
acerca... sólo así descansaré de este vacío, ya que fue imposible des-
cargar en otro la culpa y el deseo de huir como el sacerdote lo preten-
día; ya no deseo la impunidad: soy un condenado y sólo espero el
cumplimiento de la sentencia, la ejecución que me libere, que deje
escapar el vacío que me invade las entrañas y junte todos mis peda-
zos en uno solo, aunque sea dentro de un cajón... alguien, que ya
está cerca, lo siento, tiene que venir: es el destino... será esta misma
noche: ese olor a muerte en la piel de Úrsula ayer fue más inconfun-
dible que nunca; ese olor que me acompaña desde que maté al grin-
go: ya lo había sentido antes en otros lugares, en otras mujeres, pero
no con esa intensidad... sí, ha estado con ella, lo sé, ha seguido mis
pasos y mis movimientos, me conoce, conoce todo sobre mí, me está ca-
zando, y sólo espera la oportunidad para tenerme a tiro; pero ya no
le temo, lo espero con ansia para que me libere de este tormento, para
que después sea él quien compruebe en carne propia que los muertos
realmente no pesan: te disuelven, de ahí viene el miedo, el terror a
poco a poco convertirse en basura, en tierra, en aire, en nada...

Al cerrarse la puerta, el aliento ardiente del Salón Cristal le lame la cara, la música se encaja en sus tímpanos, aguda, como
espina de cacto, y sobre los ojos le cae un·paño que todo lo

vuelve umbrío. Joel aspira fuerte, en un esfuerzo por extraer oxígeno de esa sustancia oleaginosa en que se mueven hombres, meseros y prostitutas. A sus espaldas la puerta se abre de nuevo y él se estremece al sentir la presencia del frío en una ráfaga invernal que empuja a dos cholos hacia adentro del salón. Las mesas están repletas. Sobre la pista, iluminadas sus carnes por luces desteñidas, una mujer gorda se contorsiona con ademanes de boa, lenta, adormilada, sin provocar el menor entusiasmo en un público harto de cerveza. Joel recorre la barra de un vistazo, ignorando el saludo del cantinero y la invitación implícita en la sonrisa de una de las ficheras. Ni Úrsula ni Neri, piensa, y una sensación de desamparo le escurre por la médula. Se encamina hacia las escaleras que conducen a los cuartos del segundo piso, pero a la mitad del trayecto descubre sobre las sombras de los parroquianos una mano abierta que se agita para llamar su atención. Es Neri.

–Creí que no habías llegado –dice Joel mientras se sienta. La mesa es de las más lejanas a la pista, pegada al muro–. ¿Y por qué en este rincón?

–Es que desde que llegué esto estaba hasta la madre –contesta Neri con un gesto de disgusto–. Los cholos ya habían apañado todos los lugares.

La música se apaga y sólo dos o tres pares de manos conceden unos aplausos cansados, apáticos, a la salida de la bailarina gorda. Joel aprovecha el paso de un mesero para pedirle un añejo con agua y otra cerveza para Neri. Luego voltea hacia las demás mesas, observándolas una a una detenidamente, como si el silencio de ese instante le permitiera ver con mayor claridad. Terminada la revisión, enciende un cigarro.

–¿Qué tal de viejas?

–Jodido, compa. Muy jodido. Como que entre semana les da lo mismo venir o quedarse en sus casas –Neri mira hacia la pista–: Esa gordita es la mejor hasta ahora; y todavía le falta la tercera pieza. Lo bueno es que por ahí anda la mulata.

–¿No ha bailado Úrsula?

–No. Y ya tengo más de una hora aquí. Se me hace que ni vino.

–Cabrona...

Con el inicio de la siguiente cumbia algunos parecen animarse. La gorda ha saltado a la pista sin sostén, mostrando un par de senos gelatinosos, que aparentan erección sólo a causa del volumen. La cadencia de su baile se acelera un poco y adelanta el cuerpo hacia las mesas para que los más cercanos le manoseen las nalgas mientras lamen los lánguidos pezones. El mesero llega hasta Joel y Neri con las bebidas. Cuando va a retirarse, Joel lo toma de la manga:

–Oye, ¿no vino Úrsula?

–Sí, ya no ha de tardar en bajar –dice el mesero. En su rostro se delata una ligera mueca de burla–: está con un cliente.

Los ojos de Joel se oscurecen. Sus dedos retuercen el cigarro contra el fondo del cenicero hasta dejarlo convertido en un gusano amorfo y anguloso. Con nerviosismo evidente da un trago a su vaso y enciende otro cigarro.

En las primeras mesas un grupo de cholos se ha apoderado de la bailarina, derribándola sobre ellos, arrancándole las bragas mientras las manos se multiplican para recorrerla, pellizcarla, obligarla a pegar de gritos. Neri se pone de pie y aplaude divertido. Sin embargo Joel, de espaldas a la pista, ni siquiera voltea. Ahora los meseros intervienen, apartan a los cholos intentando rescatar a la mujer que se defiende con rasguños y patadas. Cholos y meseros luchan por ella como si se tratara de un bulto lleno de mercancía preciosa. Por fin los meseros vencen, la levantan en vilo y la depositan en la pista para que concluya su número. En el rostro de la mujer hay un pánico estampado cuando, con piernas temblorosas, vuelve a iniciar lo que esta vez no es más que una danza grotesca. Neri se sienta de nuevo sin dejar de aplaudir. La sonrisa de sus labios sólo se borra un instante mientras da un trago a la cerveza. Joel no ha despegado la vista de los cigarros, del cenicero, de su vaso.

–¡Hijos de su pinche madre! –comenta Neri–. Parecen perros: si les dejan a la vieja un poquito más me cae que la despedazan.

–¿Qué...?

–¿Pues qué te pasa, compa? Estás como ido. ¿Es por Úrsula? Si ya sabes que es puta, ¿por qué te enojas?

–No es eso, Neri.

–Es que desde hace rato traes una carita...

–Olvídalo. Es nada más un presentimiento.

Desde que los últimos acordes empiezan a anunciar el fin de la cumbia, la bailarina sale huyendo por detrás del escenario. Cholos y obreros se unen entonces en un bramido ininteligible, exigiendo la presencia de otra mujer. Algo tiene la multitud de semejante a una turba furiosa: los ojos inyectados, los puños en alto, las bocas babeantes. Parecen pedir sangre.

–Estos también quieren venganza –murmura Joel.

–No te oí –dice Neri.

–Nada –se contiene Joel–: que ojalá no baje Úrsula a bailar ahorita. La raza está muy prendida.

–Sí, están cabrones...

Es una cumbia, ahora netamente colombiana, la que apaga las voces. Por entre las mesas aparece bailando la mulata gigante, y de un salto cae en el centro de la pista. Agita hombros y senos mientras sus piernas trazan unos círculos rapidísimos, como si intentara borrar un rastro impreso en el suelo. Los hombres del público continúan de pie, gritando, agitando los brazos, salpicando cerveza a todos lados. Enmedio de ese infierno de sonidos y contorsiones, Neri hace una seña. Indica a la escalera y mueve los labios, en los que Joel puede leer claramente el nombre de Úrsula.

No viene dispuesta a subir a la pista: viste un conjunto deportivo que le da un aspecto de muchacho, una bufanda de lana se le enreda al cuello, y trae el abrigo en la mano, como si se dirigiera directamente a la calle. Al llegar al último escalón envuelve el lugar con una mirada curiosa, sorprendida por el escándalo que reina. Descubre a Joel en su mesa y le sonríe, pero enseguida su boca se retuerce en un gesto de inquietud. Joel siente una rara presión en las entrañas, en el pecho; sus miembros se debilitan. Neri le palmea el hombro como diciendo "ve con ella", en el momento en que los pies de un hombre aparecen por la escalera. Lleva botas, un abrigo oscuro le cae hasta los tobillos. Úrsula voltea a ver a ese hombre y luego a Joel, titubeante, como si no supiera con quién irse.

En todo el salón el griterío aumenta. La mulata ha comenzado a quitarse la ropa, piensa Joel sin apartar los ojos de Úrsula y del hombre que ahora se distingue hasta la cintura. La escena lo hace recordar la noche en que mató al gringo. Es la misma situación: Úrsula con los labios hinchados, el pelo revuelto, la misma culpa que en el rostro tenía María Elena, aunque ahora se añada a los ojos una chispa de cinismo. Cuando las manos del hombre quedan expuestas a su vista, Joel las imagina hurgando el cuerpo de Úrsula, apretando los senos, estrechando la espalda. Entonces se pone de pie con ira y al hacerlo empuja violentamente la mesa. El vaso y las botellas caen al piso, estallan en una infinidad de vidrios y sonidos agudos.

Algunos se vuelven hacia él. Neri grita algo que no logra escuchar y se levanta también con las manos escurriendo de cerveza. El hombre ha llegado hasta el último escalón y sus ojos son llamados por el ruido y el movimiento. Por un instante las miradas de Joel y el hombre se cruzan, luego convergen en los ojos de Úrsula, para después volver a cruzarse. Joel comprende quién es ese hombre al verlo sacar la pistola de cañón delgado pero terriblemente largo, una oquedad inmensa que pareciera estirarse, sorteando obstáculos y cuerpos, en busca de él. La boca del cañón le apunta directo, fija, segura, sin ninguna duda. Suena el primer balazo y Joel cae al tiempo que varios hombres se arrojan al suelo entre los chillidos de las ficheras. El segundo balazo y más hombres al suelo. La locura lo hace pensar en una bala increíble que derriba multitudes como en un fantástico juego de boliche. De su cuerpo brota un líquido caliente que se confunde con el charco en el que yace. Joel lo siente salir con alivio, semejante a una descarga de peso, o de ingravidez, pero que al fin y al cabo se lleva con él la culpa. Cuando el hombre ha agotado el cargador, ya nadie permanece de pie. Sólo Úrsula, junto a la escalera, muda, contempla lo que sucede desde muy lejos.

El silencio es casi total, roto únicamente por los pasos del hombre que retumban en el piso mientras, pistola en mano, se dirige hasta Joel. El borde del abrigo le cosquillea el rostro cuando el otro lo contempla de cerca. Sólo esa sensación áspera, y sin embargo acariciante, se suma al fluir viscoso que fluye de su cuerpo. En medio de la calma tensa escucha el murmullo de una maldición en inglés. Por fin puede ver las facciones del hombre, plenas, nítidas, y una ternura remota se apodera de su pecho: esa cara es una máscara de miedo, de angustia, de culpabilidad. Mira a Joel con horror, y se aleja con zancadas cada vez más rápidas, hasta que en una carrera desesperada abandona el Salón Cristal.

Las luces se encienden apenas se pierden los pasos en la calle. La multitud empieza a moverse. Úrsula se desvanece y unas compañeras corren a auxiliarla. Varios hombres se acercan a Joel y lo levantan del charco de licor, cerveza y orines, sin mostrar asco alguno. Luego vuelven boca arriba el cuerpo inerte de Neri. Con un temblor que lo sacude por entero al ver el cadáver, Joel empieza a experimentar una lástima infinita por el asesino.

134

Fotocomposición: Alfavit, S.A. de C.V.
Impresión: Fuentes Impresores, S.A.
Centeno 109, 09810 México, D.F.
15-I-1996
Edición de 2 000 ejemplares